서울대 선정
인문고전 60선

02
헤로도토스 역사

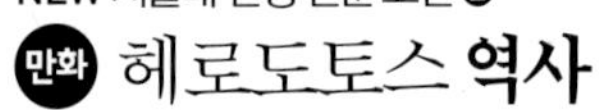

NEW 서울대 선정 인문 고전 ❷
만화 헤로도토스 역사

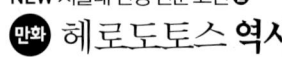

개정 1판 1쇄 발행 | 2019. 8. 21
개정 1판 2쇄 발행 | 2021. 9. 27

권오경 글 | 진선규 그림 | 손영운 기획

발행처 김영사 | 발행인 고세규
등록번호 제 406-2003-036호 | 등록일자 1979. 5. 17.
주소 경기도 파주시 문발로 197 (우10881)
전화 마케팅부 031-955-3100 | 편집부 031-955-3113~20 | 팩스 031-955-3111

값은 표지에 있습니다.
ISBN 978-89-349-9427-5
ISBN 978-89-349-9425-1(세트)

좋은 독자가 좋은 책을 만듭니다. 김영사는 독자 여러분의 의견에 항상 귀 기울이고 있습니다.
전자우편 book@gimmyoung.com | 홈페이지 www.gimmyoungjr.com

이 도서의 국립중앙도서관 출판예정도서목록(CIP)은 서지정보유통지원시스템 홈페이지(http://seoji.nl.go.kr)와
국가자료종합목록시스템(http://www.nl.go.kr/kolisnet)에서 이용하실 수 있습니다. (CIP제어번호 : CIP2018042221)

어린이제품 안전특별법에 의한 표시사항

제품명 도서 제조년월일 2021년 9월 27일 제조사명 김영사 주소 10881 경기도 파주시 문발로 197
전화번호 031-955-3100 제조국명 대한민국 ▲주의 책 모서리에 찍히거나 책장에 베이지 않게 조심하세요.

미래의 글로벌 리더들이 꼭 읽어야 할 인문고전을 만화로 만나다

NEW
서울대 선정
인문고전
60선
02
헤로도토스 역사
권오경 글 · 진선규 그림

주니어김영사

| 기획에 부쳐 |

〈NEW 서울대 선정 인문고전60〉이 국민 만화책이 되기를 바라며

제가 대여섯 살 때 동네 골목 어귀에 어린이들에게 만화책을 빌려주는 좌판 만화 대여소가 있었습니다. 땅바닥에 두터운 검정 비닐을 깔고 그 위에 아이들이 좋아하는 만화책을 늘어놓았는데, 1원을 내면 낡은 만화책 한 권을 빌릴 수 있었지요. 저는 그곳에서 만화책을 보면서 한글을 깨쳤고 책과의 인연을 맺었습니다.

초등학교 때는 용돈을 아껴서 책을 사서 읽었고, 중학교 때는 학교 도서 반장을 맡아 도서관에서 매일 밤 10시까지 있으면서 참 많은 책을 읽었습니다. 그 무렵 헤밍웨이의 《노인과 바다》를 손에 땀을 쥐며 읽으면서 인생에 대해 고민했고, 헤르만 헤세의 《수레바퀴 아래서》를 읽으며 사춘기의 심란한 마음을 달랬습니다. 김래성의 《청춘 극장》을 밤새워 읽는 바람에 다음 날 치르는 중간고사를 망치기도 했습니다.

당시 저의 꿈은 아주 큰 도서관을 운영하는 사람이 되어 온종일 책을 보면서 책을 쓰는 작가가 되는 것이었습니다. 나이가 들고 어느 정도 바라는 꿈을 이루었습니다. 큰 도서관은 아니지만 적당한 크기의 서점을 운영하고, 글을 쓰는 작가가 되었거든요. 저는 여기에 새로운 꿈을 하나 더 보탰습니다. 그것은 즐거운 마음과 힘찬 꿈을 가지게 해 주고, 나아가 자기 성찰을 도와주는 좋은 만화책을 만드는 일이었습니다. 이렇게 해서 만든 책이 바로 〈서울대 선정 인문고전〉입니다. 서울대학교 교수님들이 신입생과 청소년들이 꼭 읽어야 할 책으로 추천한 도서들 중에서 따로 60권을 골라 만화로 만든 것입니다. 인류 지성사의 금자탑이라고 할 수 있는 고전을 보기 편하고 이해하기 쉽도록 만화책으로 만드는 일은 쉬운 일은 아니었습니다. 약 4년 동안에 수십 명의 학교 선생님들과 전공 학자들이 원서의 내용을 정확하게 전달할 수 있도록 밑글을 쓰고, 수십 명의 만화가들이 고민에 고민을 거듭하면서 만화를 그려 60권의 책을 만들었습니다.

〈서울대 선정 인문고전〉이 완간되었을 무렵에 우리나라에 인문학 읽기 열풍이 불기 시작했습니다. 〈서울대 선정 인문고전〉은 인문학 열풍을 널리 퍼뜨리는 데 한몫을 하면서 독자들의 뜨거운 사랑과 관심을 받았습니다. 덕분에 지금까지 수백만 권이 팔리는 베스트셀러가 되었습니다. 그 사랑에 조금이나마 보답을 하기 위해 《칸트의 실천이성 비판》, 《미셸 푸코의 지식의 고고학》, 《이이의 성학집요》 등 우리가 꼭 읽어야 할 동서양의 고전 10권을 추가하여 만화로 만들었습니다.

〈서울대 선정 인문고전〉은 어린이와 청소년이 부모님과 함께 봐도 좋을 만화책입니다. 국민 배우, 국민 가수가 있듯이 〈서울대 선정 인문고전〉이 '국민 만화책'이 되길 큰마음으로 바랍니다.

손영운

고대 오리엔트와 그리스 세계가 생생하게 펼쳐지는 헤로도토스의 《역사》

학생들이 읽을 만한 책은 넘쳐나고, 독서 교육의 중요성은 텔레비전 오락 프로그램에까지 등장합니다. 하지만 정작 교단에서 만나는 아이들은 갈수록 책과 멀어지고 인문 교양의 수준도 낮아지고 있습니다. 몇 년 전만 해도 수업 시간에 "○○○○ 책에 이러한 내용이 있지?" 질문하면 그 중 몇은 고개를 주억거리곤 했는데 이제는 단 한 명에게서도 읽은 흔적을 찾지 못할 때가 많습니다.

어렸을 때, 눈이 아플 정도로 작은 글씨들이 빽빽이 들어찬 책들을 호기심 반, 치기 반으로 읽어 내리던 기억을 떠올리며 혀를 차 본들 사정은 하나도 나아지지 않죠. 어린 친구들이 꼭 읽었으면 하는 글을 그들의 코드로 담아낸다면 훨씬 친근하게 책을 대할 수 있지 않을까? 이러한 이유로 망설이다가 '서울대 선정 인문고전 50선' 작업에 참여하게 되었습니다.

헤로도토스의 《역사》는 흔히 '페르시아 전쟁사'로 소개됩니다. 헤로도토스가 첫머리에도 밝혔듯이 이 책은 '그리스 세계와 페르시아 사이의 전쟁의 원인을 밝히고 후세의 사람들이 이 역사적 사건을 잊지 않고 기억하도록 하기 위해' 쓰인 책입니다. 하지만 헤로도토스의 관

심은 두 나라 사이의 전쟁이라는 사건만이 아니었습니다. 《역사》에는 이집트와 페르시아를 비롯한 고대 오리엔트와 그리스 세계의 수많은 사실들이 생생하게 담겨 있습니다. 오늘을 살아가는 우리가 이 시대에 대해 알고 있는 대부분은 헤로도토스의 《역사》를 통해서입니다.

방대한 분량의 《역사》를 한정된 지면에, 그것도 아이들의 눈높이에 맞춰 담아내는 과정은 생각보다 쉽지 않았습니다. 일단 이 책의 핵심 주제인 페르시아 전쟁에 앞서, 그 배경으로 페르시아가 등장하고 세계 제국으로 성장해 나가는 과정을 이해하기 쉽게 시간적인 순서에 따라 구성해 봤습니다. 다음으로 가능한 한 중요한 전투를 자세히 다루었습니다.

이 매력적인 책을 내가 가르치는 아이들에게 수업 시간에 이야기하듯 들려주고 싶었습니다. 또한 이 책을 내 딸들이 쉽게 이해하여 단숨에 읽게 할 수 없을까 고민하며 글을 썼습니다. 부끄럽지만 내가 가르치는 아이들과 내 딸들 앞에 이 책을 내놓습니다.

마지막으로 부족한 원고를 멋진 만화로 채워 주신 만화가 진선규 선생님에게 감사의 뜻을 전합니다.

권오경

고대인의 용기와 정신을 담은 《역사》

처음 만화 작업을 위해 헤로도토스의 《역사》를 접했을 때의 느낌은 우선 '어려움' 이었습니다. 쉽사리 입에 달라붙지 않는 이름들과 지명, 어려운 서사 구조 때문에 몇 번이나 읽다 말다를 반복해야 했죠. '내 능력을 넘어서는 작업이 아닐까?' 하며 포기를 고민하고 있을 때, 주변의 어떤 이가 해 준 말이 나를 자극했습니다.

"남자가 시작을 했으면 끝을 봐야지!"

그 한 마디에 책을 다시 읽기 시작했습니다. 그렇게 읽다 보니 어느 순간 나도 모르게 이 책에 빠져 있는 자신을 발견할 수가 있었습니다. 그게 바로 고전이 가진 힘이 아닐까요.

《역사》를 작업하는 도중 영화 〈300〉이 개봉을 했습니다. 여러 가지 면에서 도움이 된 점은 다행이지만 한편으로는 영화의 뛰어난 영상미 때문에 얼마간 자신감을 잃기도 했습니다. 영화의 배경은 모두 알다시피 테르모필라이 전투입니다. 페르시아의 대군을 맞아 단지 300명으로 혼신의 힘을 다해 적의 병력을 저지시킨 병사들과 레오니다스 왕의 이야기는 이후 여러 문학작품과 영화 등의 소재가 되기도 했죠.

영화를 위해 300명의 출연진은 수 개월간 복근 단련을 위해 합숙 훈련을 했다고 하는데,

이는 고대 스파르타 인의 체격을 그대로 재현하기 위해서였을 것입니다. 고대 스파르타는 지금도 '스파르타식 교육' 이란 표현을 할 정도로 매우 검소하고 엄격하게 생활했다고 해요. 스파르타 인에게 명예란 옷차림이나 재산의 정도가 아니라 자신의 가족을 지키고 긍지와 자존심을 지키는 것이었습니다. 그것을 위해 수적으로 열세인 시민 계급은 끝없이 스스로를 단련해야 했는데 영화 속 전사들의 근육은 그런 결과물이었던 것입니다.

이들이 보여준 고대인의 진정한 용기를 만화를 통해서나마 좀 더 친숙하게 많은 이들이 접할 수 있기를 바랍니다. 스파르타 인뿐만 아니라 아테네 인들의 문화와 예술, 시민 정신까지도 고스란히 독자들에게 전달되었으면 합니다. 책의 내용 중 비문에 적힌 시 한 구절을 전합니다.

"여행자여, 가서 스파르타 인에게 전하라! 우리가 그들의 명을 수행하고 여기에 누워 있다고." (시모니데스)

김서규

| 차 례 |

역사

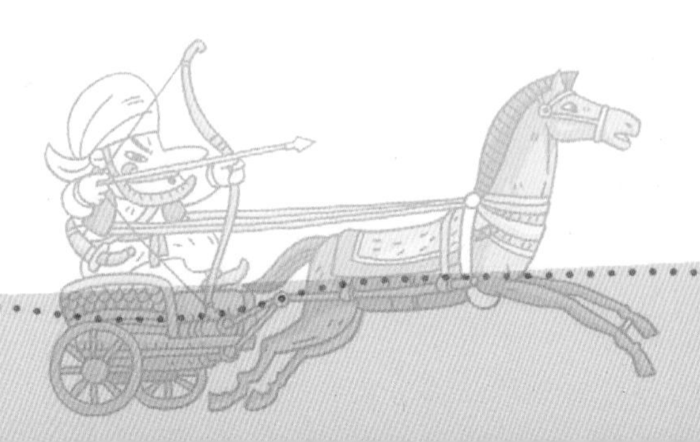

마케도니아
그리스
트라키아
아토스 곶
1차 페르시아 전쟁 중
페르시아 군 2만 명이
풍랑을 만나 빠져 죽은 곳
헬레스폰토스
2차 진군 때
배로 다리를 놓아
해협을 건넌 곳
트로이
테르모필라이
테르모필라이 격전지
레스보스 섬
아르테미시온
플라타이아
마라톤
에게 해
이오니아
사모스
아테네
헤로도토스가
태어난 곳
살라미스
할리카르나소스
펠로폰네소스
살라미스 격전지
델로스
스파르타
그리스 영향권
페르시아 영향권
지중해
크레타 섬
이집트

페르시아 전쟁의 무대
흑해
마사게타이
카스피 해
리디아
왕의 길
페르시아에서 소아시아까지 이르는
2,580km의 도로망.
평상시 무역로로 사용하다 전쟁시
물자나 군 수송로로 사용.
사르디스
페르시아
밀레투스
학파
행정 수도
1차 페르시아 전쟁의 진격로
해군
육군
2차 페르시아 전쟁의 진격로
해군
육군
밀레투스
바빌로니아
수사
페니키아
시돈
아라비아 반도
멤피스
홍해

제1장 《역사》는 어떤 책일까?

헤로도토스
역 사
HISTORIAE

바야흐로 역사책의 전성시대야.
역사코너
!!
와우! 정말 많구나.

온갖 종류의 역사책이 매일 쏟아져 나오고
신간
역사는 흐른다

텔레비전에서도 사극이 홍수를 이루지.
대조영 보자.
태왕사신기는 어쩌고요.

'역사' 라는 말을 처음 쓴 사람은 그리스의 역사가 헤로도토스야.

그가 쓴 《역사》는 9권에 달할 정도로 방대해.
이렇게나 길었나?

일단 꽤 두꺼울 뿐만 아니라
끙끙

수많은 인물들과
와글
와글

헤아릴 수 없을 만큼 많은 지명과
?
이집트
아테네
트로이
할리카르나소스
바빌론
밀레투스
리디아
그리스
사모스
페르시아

민족들이 등장해.

아마 등장인물만도
천 명이 넘을걸?
와글~
와 글~

게다가 지도책을 펴놓고 읽지 않으면
?
도대체
여기가
어디야?

이해 불능이야.
지끈
지끈~

메모를 하면서 봐도
자꾸 헷갈려.
슥
슥

계속 읽어야 하나….
날 포기
하지 마!

그래서 이 책을 다 읽기 위해서는
인내심과 끈기가 필요하지.
끙~
으…
역
사

하지만 걱정 마.

우리가 함께 하는 이 역사 여행은 지루하기는커녕
아주 재미있어서 한번 책을 손에 넣으면 단숨에
읽어 버릴 테니!
역
사
여
행
헤
로
도
토
스

자! 슬슬 출발해 볼까?
START ~

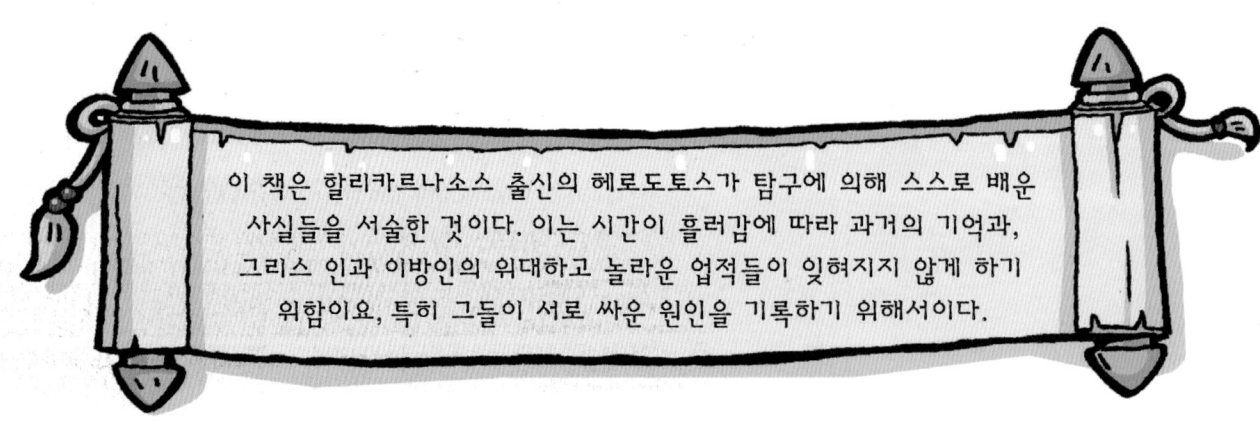

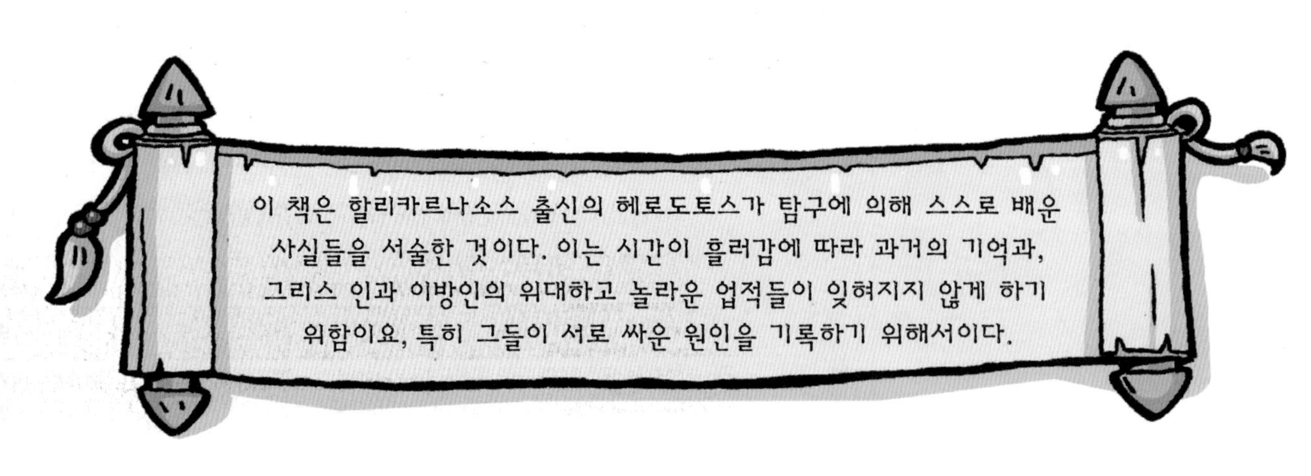
이 책은 할리카르나소스 출신의 헤로도토스가 탐구에 의해 스스로 배운 사실들을 서술한 것이다. 이는 시간이 흘러감에 따라 과거의 기억과, 그리스 인과 이방인의 위대하고 놀라운 업적들이 잊혀지지 않게 하기 위함이요, 특히 그들이 서로 싸운 원인을 기록하기 위해서이다.

여기서 '탐구에 의해 배운 사실을 서술', '과거의 기억이 잊혀지지 않게 하기 위함',
탐구에 의해 배운 사실
과거의 기억이 잊혀져
그들이 싸운 원인을 기록
'그들이 싸운 원인을 기록하기 위해서' 에 밑줄 쫙~.

《역사》의 첫머리에 나온 이 말들은 아주 중요해.
?…!!

먼저 '탐구에 의해 배운 사실' 과 관련된 얘기야.
탐구

원래 역사(History)라는 말의 어원인 Historia는
히스… 토리아…

이오니아 지방에서 처음 쓰이기 시작했어.
이오니아
Historia

처음에는 단순히 질문이나 조사 정도의 의미로 사용했지.
질문?
조사?
이건 내 전공인데….
탐정

Historiae는 Historia의 복수형인데,
복수의 칼을 받아라!
이 복수가 아니잖아!
까~앙

탐구하여 알아낸 지식, 탐구한 것을 글로 설명한 것을 말해.

결국 헤로도토스가 자신의 책을
《Historiae》로 이름 붙인 것은
Historiae
헤로도토스

자신이 탐구하여 알아낸 것을
기록하였다는 뜻이지.
탐구
지식
세상엔
쉬운 건 없어!

헤로도토스 이전에도 역사적
사건을 다룬 이들이
있었어.
누구지?

호메로스라고 들어 봤니?
음…
호메로스!
날 빼고
신화를 말할
수 없지!

'트로이의 목마'는 들어 봤지?

악성 바이러스
트로이 목마도 있는데….

그래, 그 트로이 목마가 바로
호메로스의 서사시 《일리아스》의
서사시…

트로이 전쟁에서 만들어진 거란다.

아킬레우스 같은 영웅의 활약에도
불구하고

그리스 군대가 트로이 성을
함락시키지 못하자
트로이

오디세우스가 꾀를 내어 거대한
목마를 만들어 놓고 퇴각했어.
뭘까?
바다의 신에게
헌납하려고
만든 걸 거야.
가져가자!

트로이 인들은 선물이라고 생각해서
그 목마를 성으로 끌고 와
쿵
쿵

축제를 벌였지.

그날 밤 목마 안에 숨어 있던
그리스 인들이 몰려나와

트로이는 멸망하고 말았어.
툭
트로이

《일리아스》에는 세 여신의 미의
대결인
아테나
헤라
아프로디테

파리스의 황금 사과 이야기와
가장 아름다운
여신에게…

아킬레우스, 오디세우스, 헥토르 등의 영웅
이야기 등 흥미진진한 내용이 많아.

《일리아스》 외에 호메로스의
서사시가 또 있어.
어디에
있더라?

오디세우스가
트로이에서
승리하고 귀환하던
중의 모험을 그린
《오디세이아》야.

여기에는 아프로디테와 아테나 같은
신들이 중요한 고비마다 등장해서

인간 세상의 일을 좌지우지해.
이쪽이야
저쪽이야
신
아냐! 이쪽이야

또 칼이나 화살을 맞아도 죽지 않고
인간의 능력을 훨씬 넘어서는
영웅들의 이야기도 나오지.

신화와 인간의 행동이 뒤섞여 있어서
신화
+
실화
덜
덜

어떤 것은 그럴듯하지만
그런 대로 맛있네~.

상식적으로 믿어지지 않는 이야기도 많아.
켁! 이건 아니잖아!

하지만 당시의 사람들은 호메로스의 이야기가 실제로 있었던 일이고
사실이라니까!

실제 살았던 사람들의 이야기라고 대부분 믿어.
신전
헌납
신전에 헌납하고 장가가야지.

그리스 인들에게는 호메로스의 이야기가 역사였던 셈이지.
역사

글의 형식도 오늘날의 역사 서술과는 달리 《일리아스》나 《오디세이아》는 시의 형식을 띠고 있어.
나… 보기가…
역겨워…
가실 때에는

기원전 6세기 즈음 그리스에서는 신화와 문학의 신비적이고 비합리적인 전통에서 벗어나
탈피
낼름
뱀허물

합리적이고 과학적인 학문 연구가 시작되었는데

그 중심 무대가 바로 이오니아 지방이었어.
이오니아

그때 시가 아닌 산문 형식으로 글을 쓰는 작가들이 출현했는데
시는 이제 한물갔어.

이들은 형식뿐만 아니라 내용 면에서도 호메로스와는 다른 경향을 보였어.
흥
너희가 역사를 알아?
선생님의 시대는 끝났어요!
흥

이들은 신화를 이성적으로 파악하려고 노력했는데
자세히 보니 잘생겼죠?
신화

직접 가서 이야기를 듣고 조사하여 쓰기도 했어.
체험학습

또한 그리스 인이 아닌 이방인의 관습과 역사를 서술하기도 했지.

이러한 산문 작가들의 출현이 헤로도토스에게 적지 않는 영향을 끼쳤어.
산문작가

앞에서도 밝혔듯이 헤로도토스는 보다 합리적인 탐구를 통해 《역사》를 썼어.
탐구
원인
페르시아 전쟁

물론 형식도 시가 아닌 산문으로!
나에겐 짧은 검보다 긴 창이 어울려.
산문

하지만 신의 뜻이 인간의 《역사》에 상당히 중요한 요소로 등장하고 있어.
펑
신
역사

헤로도토스 역시 그리스 전통의 종교관을 가지고 있었던 거지.
신

특히 책 곳곳에서 신탁의 내용이 아주 중요하게 서술되고
델포이 신전의 은총을 얻어야 한다! 짐승 3천 마리를 도살하고 장작으로 산을 쌓아라!
신전

결국 그 신탁은 현실화되거든.
신의 뜻에 따라 페르시아 정벌에 나설 것이다!
와아

또 수시로 꿈이 등장하고 그 꿈이 현실에서 그대로 맞아떨어지곤 해.
아스티아게스여! 그대의 딸 만다네가 낳은 자식이 이후 이 나라를 통치할 것이오!
뭐?

이것은 합리적이고 과학적인 사고가
신화적인 요소 사이에서 일관성을
잃어버린 이야기지.
신
후우
감히
날 무시해!

그것은 초자연적인 현상들을
설명하기엔 당시의 과학이나 학문이
아직 수준에 못 미쳤기 때문이야.
신이
노했다!

위대한 헤로도토스도
시대적인 한계를
극복하지 못했다고
할까?
끄응
시대적 한계

처음 시도되는
합리적인
역사 서술에서

그때까지 보여 왔던 신화적 요소를
완전히 극복하길 바라는 건
신화
감히 날
배신해!

어쩌면 이제 걸음마를 시작한
어린아이에게 뜀박질을 하라고
요구하는 것과 같은 거야.
요기까지
점프!

하지만 《역사》는 헤로도토스 자신이
앞에서도 밝혔듯이

인간의 행동을 사람들이 잊지 않고
기억하도록 하기 위해 쓴 거야.
역사
타임캡슐

즉 신이 아닌 인간이 했던 일!

바로 그것이 《역사》에서
헤로도토스가 서술하고자 했던
거야.
내 뜻을
잘
파악했군!

그래서 헤로도토스를 이렇게 말하기도 해.
역사를 '하늘의 역사'에서
'인간의 역사'로 바꾼 인물이라고.
인간의
역사

그런데 이 헤로도토스가
과거의 사실을 밝힐 때
CSI
사건현장
출입금지

반드시 증거를 통해 살피는 객관적이고 과학적인 방법을 썼다는 게 중요해.
찾았다!
CSI

직접 가서 만나 얘기를 듣고
어젯밤 뭘 했지요?
CS

관찰해서 되짚어 보고 글을 썼어.
그 말이 사실이라면 ….

물론 그 과정에서 믿을 수 없는 건 버리고
그자는 용의선상에서 지워야겠군!
CSI

전해져 오는 이야기와 자기가 직접 확인한 사실이 다를 경우
거짓말 마! 넌 어제 집에 없었어!
그걸 어떻게?
쾅

이를 명확히 바로 잡았어.
이게 바로 그 증거다!
CSI
증거

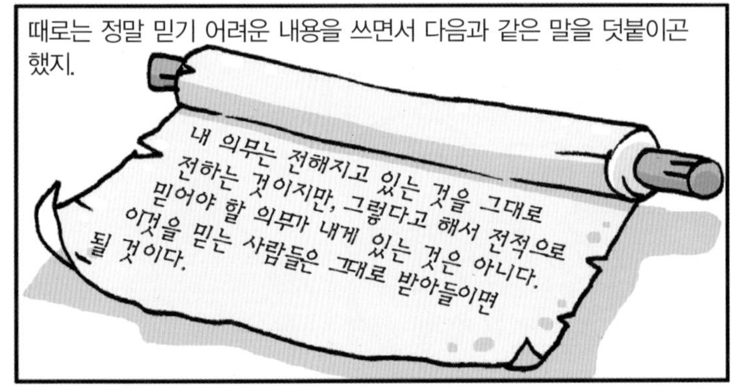
때로는 정말 믿기 어려운 내용을 쓰면서 다음과 같은 말을 덧붙이곤 했지.
내 의무는 전해지고 있는 것을 그대로 전하는 것이지만, 그렇다고 해서 전적으로 믿어야 할 의무가 내게 있는 것은 아니다. 이것을 믿는 사람들은 그대로 받아들이면 될 것이다.

또 이런 말도 있어.

"지금까지 서술한 것은 나 자신이 알아 낸 바를 서술한 것이지, 확신을 가지고 말할 수는 없다."

헤로도토스는 과거의 사실들을 단순하게 나열하는 것이 아니라
진열장
꼭 따라 할
필요는 없잖아!

자신의 세계관과 가치관에 근거하여
나만의 방식을 찾을 테야!

사건의 원인과 결과 그리고 본질을 밝히려는 노력을 계속 했다는 점이 중요해!
노력
사실규명

역사적 사건의 앞뒤가 어떻게
연결되는지

또한 어떤 영향을 미치는지
영향

그리고 이로 인해 사람들의 삶은
어떻게 달라지는지를 판단하려 했지.
이야~.
벌써
도착
했어.

헤로도토스의
《역사》는
기본적으로
페르시아 침략
전쟁에 맞선
페르시아
그리스

그리스 인의 승리에 초점을 맞춰
서술했어.
그리스

그는 동양과 서양이 맞붙은
최초의 전쟁을
서양 VS 동양

다른 성격의 두 문화의 정치 제도,
즉 민주정과 전제 정치의 충돌로 파악했지.
민주정
전제정치

특히 그는 '그리스 인의 자유를
위한 저항 정신'에 주목하고
있어.
자
유
그리스

분열되어 있던 전 그리스
인들이 노예이기를 거부하고
뚝
노예

자유를 지켜야 한다는 목표
아래
자유
자치방어

외세의 침략에 맞서 하나로 뭉쳐
싸우는 모습을 기록하여
외세
와
와
와아

후세에 전하고 싶었던 거야.

다음 장에서 자세히
이야기하겠지만
?

역사란 과거의 사실들을 역사가의 관점에
따라 해석하여 서술한 거라 할 수 있어.
저건 신이야!
아니야! 용이야!
난 아무것도 안 보여.
신
역
사
가

그런 점에서 헤로도토스는
'역사의 아버지'라 할 수 있지.
나에겐 많은 자식이 있지!
아버지!
일화
사실
사건
전쟁

또한 《역사》는 단순한
역사책이 아니라
역사

페르시아와 그리스, 이집트, 리디아와
흑해 주변의 자연환경

그리고 그 지역에 살고 있는
각 민족의 생활양식과 풍습,
종교를 담았고

심지어 지리까지 다루었어.
지리서

그 중에 많은 내용이 그가 집접 가서 보고
듣고 관찰한 내용이겠지.
두말하면 잔소리지~.

예를 들어 《역사》에는

이집트의 미라 만드는 방법까지
아주 상세히 묘사하고 있어.
붕대를 감고 다시 그 위에 고무를 칠한 뒤
세워서 미라를 안치시켜….
미라

그의 이러한 노력 덕분에 신비에 쌓인 고대의 메디아, 리디아,
이집트, 페르시아, 스키타이 등의 흔적을 우리도 볼 수 있게 된 거지.
스키타이
그리스
리디아
페르시아
이집트
공부!!

또한 그는 모든 사실들을 편견 없이 객관적인 시각으로 보려고 노력했어.
스트라이~크
볼이야

그리스의 적국이었던 페르시아의 풍습 중 훌륭한 것에 대해서는 칭찬을 아끼지 않거든.
페르시아 국왕마저도 한 번의 죄로 사람을 죽이는 일은 없었다. 좋은 건 배워야 돼!

물론 팔은 안으로 굽어서 그리스 인에게 남다른 애정을 보였지.
그리스

사실 헤로도토스가 역사의 아버지라고 불리기는 하지만 그의 책이 늘 찬사를 받았던 것은 아니야.
끙~ 끙~.
역사

헤로도토스보다 후에 태어난 투키디데스도
투키디데스

역사책을 썼는데
난 실용적 역사학의 시조야.

그는 주로 펠로폰네소스 전쟁을 다뤘어.

기원전 431년부터 404년까지 아테네를 중심으로 하는 델로스 동맹과, 스파르타를 중심으로 하는 펠로폰네소스 동맹이 벌인 싸움에서 스파르타가 승리한 이야기지.

그런데 투키디데스는 헤로도토스를 이렇게 평했어.
내가 헤로도토스랑 비슷하다고?
??

헤로도토스가 진실을 말하기보다 사람들을 즐겁게 하기 위해 허황된 이야기를 썼다나 뭐라나.
즐거움을 위해 거짓말 하는 게 똑같거든.
??

또 헤로도토스에게 역사의 아버지라는 애칭을 달아 준 키케로도
닉네임

헤로도토스의 글에는 거짓된 이야기가 수없이 많다고 빈정거렸지.

헤로도토스의 《역사》가 제대로 평가받기 시작한 것은 18세기 이후
18세기 이후

고고학과 고전학 등이 발전하면서부터야.
누구 게?

특히 이집트와 오리엔트 지역의 발굴과

각종 문헌 자료의 해독을 통해

《역사》가 사람들이 생각했던 것 이상으로 정확한 사실을 담고 있다는 것이 밝혀졌어.
똑같네….
역사
사실

일종의 명예 회복인 셈이지!
흠
똥인지 된장인지
먹어 봐야 아남….

지금까지 《역사》가 어떤 의미를 가졌는지 알아봤으니
의미

이제부터는 《역사》에 담긴 구체적인 내용을 살펴볼까?

흔히 《역사》는 《페르시아 전쟁사》로 불리기도 해.

그만큼 페르시아 전쟁에 초점을 맞춘 역사책이라는 거야.
텅
페르시아

페르시아 전쟁은 기원전 492년부터 기원전 448년까지 세 차례에 걸쳐 페르시아가 그리스를 침략하여 벌어진 전쟁이야.
그리스
페르시아

황영조, 이봉주 선수 기억해?
반환 지점
76

바로 마라톤의 영웅들이지.
마라톤

그런데 이 마라톤 경기의 기원과도 관련이 있는 유명한 마라톤 전투와
조…조금만 더…더 가면
승리

살라미스 해전 등이 바로 페르시아 전쟁에서 있었던 전투들이야.

앞으로 하나하나 살펴볼 테니 기대하시라!
개봉 박두

《역사》는 총 9권으로 되어 있어.
9!
야구 경기 인원하고 똑같네.

그러나 원래 헤로도토스가 그렇게 구성한 것은 아니고 후대의 알렉산드리아 학자들이 편의상 그렇게 구분했대.
복잡하군! 뭔가 정리가 필요해.
역사

1권부터 3권까지는 페르시아 제국의 역사와

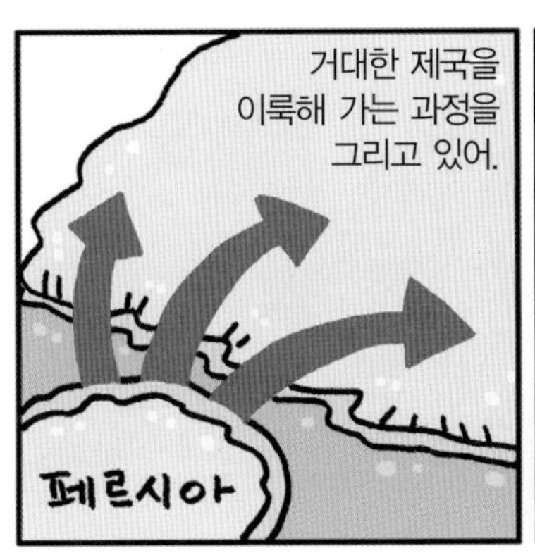
거대한 제국을 이룩해 가는 과정을 그리고 있어.
페르시아

여기에는 페르시아의 생활 방식이나 문화는 물론이고
우액~
술 먹고 토하는 건 우리에겐 모욕적인 일이야!

이집트를 비롯하여 페르시아에 정복당한 민족들과 그들의 생활 방식, 문화 등도 함께 기록하고 있어.

4권부터 6권까지는 유목 민족인
스키타이 인에 대한 설명과 그들의 역사
스키타이 활동지역
언제 쯤 벗어날 수 있을까?

흑해에 대한 설명
흑해
매애..

이오니아의 그리스 도시들이
페르시아에 맞서서 반란을
일으킨 이야기

페르시아 군대의 마라톤에서의 패배 등이
담겨 있어.
패배

6권에서 9권까지는 이 책의 가장 핵심적인 주제인 페르시아 전쟁에
대해 서술하고 있어.

페르시아의 왕 크세르크세스의
그리스 침공
출정
와아

테르모필라이
전투

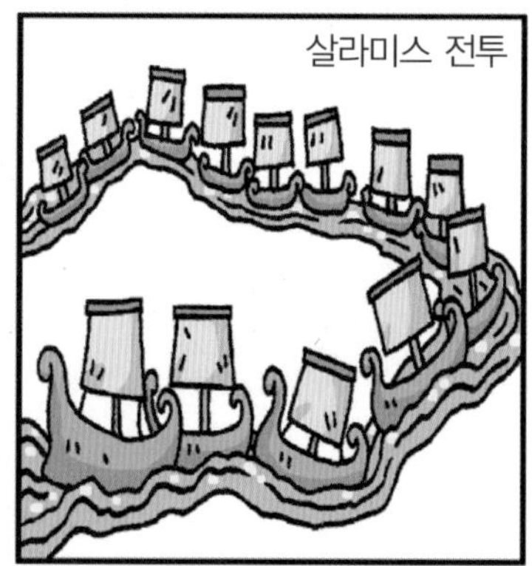
살라미스 전투

플라타이아와 미칼레 전투 등을 통해 그리스 군이
승리하는 과정을 묘사하고 있어.
그리스

만약 헤로도토스의
《역사》가 없었다면?
사막에 오아시스가 없다면?

오늘날 우리는 그 시대에 대해 잘 알 수 없었을 거야.
오아시스다!

또 어떤 사람은 이렇게 이야기해.
역사
강연회

《역사》는
역사
헤로도토스

다양한 인간적 삶의 보고이자

여러 민족의 생활과 풍습에 대한 문화 인류학적 보고서이다.
불만큼 이나 중요해!
역사

정말 그래! 우리가 조금 더 노력해서

헤로도토스의 《역사》를 이해할 수 있다면
잊어버리지 않게 다 먹어야지.
꿀~꺽

이 책이 얼마나 멋지고 매력적인 책이라는 걸 금방 알 수 있을 거야.
아~ 배부르다.

벌써부터 흥미진진 기대가 되지?
짠~
여행권
헤로도토스와 떠나는 신나는 역사 여행

자! 그럼 헤로도토스의 《역사》 속으로
뿌우-
뿌~

출발!
아~ 떨려.

다양한 도시 국가로 이루어진 고대 그리스

Freedom

파르테논 신전
아테네의 아크로폴리스 언덕에 있는 아테나 여신의 신전. 기원전 5세기 중엽에 세워졌으며, 파르테논이라는 이름은 아테나 파르테노스 의식에서 비롯되었다.

고대 그리스 세계는 일반적으로 고대 그리스 인이 모여 살던 모든 지역을 말합니다. 바로 발칸 반도의 끝자락인 그리스 반도, 소아시아의 에게 해 연안과 남부 이탈리아, 프랑스 남해안, 그리고 그 주변의 수많은 섬들이지요.

그리스 본토에는 올림포스 산을 비롯하여 2,000~3,000미터에 이르는 높은 산이 많고, 농사짓기에 적당한 땅은 매우 적어요. 높은 산지들이 가로막고 있어서 지역 간의 교류가 쉽지 않았어요. 그래서 메소포타미아나 이집트 등의 오리엔트 지역처럼 거대한 통일 국가가 출현하지 못했어요.

그 대신에 산과 산 사이의 좁은 땅이나 좁은 해안 지대에 작은 규모의 독립적인 도시 국가인 폴리스가 나타났어요. 이러한 폴리스들은 고립되어 있어서 제각기 독특한 개성과 다양한 제도를 가지며 독자적으로 발전해 갔어요. 어떤 나라는 민주정, 어떤 나라는 군주정, 또 어떤 나라는 참주정으로 정치 형태도 제각각이었지요.

폴리스는 대부분 시가지의 중심부에 아크로폴리스라는 언덕을 두어 신전을 세우고 임시 피난처로 썼습니다. 이러한 폴리스들이 그리스 본토 안에만 200개가 넘었고, 그리스 인들이 해외로 진출하여 세운 폴리스까지 합치면 거의 1,000여 개에 이르렀어요. 아테네, 스파르타, 에레트리아, 테베 등이 바로 이 도시 국가, 즉 폴리스의 이름이에요.

고대에는 그리스라는 나라가 존재하지 않았고 아주 많은 폴리스로 나뉘어 있었던 것입니다. 그런데 이곳에는 공통의 언어와 종교를 가진, 스스로를 '헬레네스'라 부르는 사람들이 있었어요. 이들은 이방인과 스스로를 구분지었고 자신들이 우월하다는 확신에 차 있었어요.

이러한 공통점과 더불어, 올림피아 제전은 정치적으로 제각각이었던 도시 국가들을 묶는 계기가 되었어요. 4년마다 한 번씩 열리는 올림피아 제전은 그리스 세계가 단합을 이루는 중요한 행사였어요. 사람들은 올림피아에 모여 제우스 신을 위해 제사 지내고 큰 경기 대회를 열어 서로의 존재를 확인했어요. 참가자는 '헬레네스'의 자유인이었고, 노예나 이방인은 절대 참가할 수 없었어요. 그리고 미혼 여성들은 관람할 수 있었지만 그 외의 여성들은 얼씬거릴 수도 없었어요.

하지만 그리스 세계가 하나로 단합했던 적은 한 번도 없었어요. 늘 분열되어 서로 싸웠지요. 심지어 페르시아 제국이 그리스 세계를 정복하기 위해 쳐들어왔을 때조차 그리스 세계는 하나로 뭉치지 못했어요. 오히려 페르시아의 앞잡이가 되어 이웃 폴리스를 공격한 나라들도 있었답니다.

아테네 올림픽 경기장

제우스를 기리기 위해 4년마다 치러졌던 올림픽은 오늘날 세계 최고의 운동 경기 대회가 되었다.

제 2 장
헤로도토스는 어떤 사람일까?
이집트 주변환경
흑해
그리스
카스피 해
그리스
겨울 왕궁
수사

혹시 유치원 때 같이 다니던 짝꿍 기억나니?

놀이터에서 놀다가 이마를 다친 일도?
으앙

그럼 네가 처음 걸음마를 시작한 날은 언제였을까?
아장
아장

"아빠!"라는 말을 처음 한 날은?
빠빠
아빠

기억이 잘 안 난다고? 그럴 땐 어떻게 해야 할까?
누구에게 물어보지?

그래 맞아! 엄마에게 물어보면 너에 대한 작은 일들까지 생생하게 기억하실 거야.
이건 3살 때 라면 먹는 모습!
3살 때 라면을요?

네가 태어나서 지금까지 그리 길지 않은 세월이었지만 참 많은 일들이 있었겠지?

너의 기억을 되살리고
기억
산소공급

엄마, 아빠, 할아버지, 할머니의 기억을 빌리고
하 하
5살 때 지도를 그렸지.
설~마

엄마의 육아 수첩도 뒤져 보고
육아수첩
진수아

초등학교 때의 일기장도 뒤져 가며
푸~우
일기장

그 기억들을 하나하나 모아 글로 써 보는 거야.
슥

그 많은 일들을 다 쓸 수는 없겠지? 그 중 중요하다고 생각되는 일들을 뽑아서
중요

글로 쓰면
탁
탁

그게 바로 너의 역사가 되는 거야!
이것만 보면 나에 대해 알 수 있다고!
나도 만들래!
나의 역사

너도 멋진 역사가가 되는 거지!
역사가
역사 발굴
과거

상상해서 쓴 것도 지어내서 쓴 것도 아닌
상상속 주인공

실제로 있었던 일 중에서 중요한 일을 뽑아서 서술한 것
역사일보
경기도 문화재 00호가 불에 타는… 모든걸 다 태우고
이 불로 인하여 국가적 손실이…

그게 바로 역사야!
실제 존재했던 일

그런데 가까운 옛날의 일들은 기억을 더듬어 보면 금방 알 수 있지만
50평생 살아 온 내 고향이 10년 전에 물속에 잠겼어.
수몰 지역

그럼 더 먼 옛날의 일은 어떻게 알 수 있지?
500년 전 이곳은 몇 번이나 물속에 잠겼어요?

예를 들어 고구려 광개토 대왕이 영토를 어디까지 넓혔고
광개토왕비

로마에서 어떻게 기독교가 받아들여졌는지?
로마

또 일제 강점기에 우리의 독립군 할아버지들은 어떻게 싸우셨는지?

그런 일들 말이야.
당연히 역사책을 보면 되지.
중국사
역사...
세계사...

그래! 역사책을 보면 알 수 있어.
고려사

그 역사 책은 바로 역사가가 쓰는 거고.
역사책
역사가

그럼 역사가는 과거의 일을 어떻게 알고 있을까?
점술
역사
부적
과거의 모습을 보여 줘라!

타임머신을 타고 그 시대를 갔다 온 것도 아닌데 어떻게 알아낸 걸까?
슈우우
우우
여기는 무슨 시대?

역사가들은 옛날 사람들이 남겨 놓은 온갖 기록들을 통해 그 시대에 어떤 일들이 일어났는지 탐구하지.
고려사
조선 상고사
조선 왕조 실록

물론 기록뿐 아니라 유물이나 유적, 전해져 오는 이야기 등도 모두 역사의 증거 자료가 되는데
이번에 출토된 유물이 통일신라 이전 유물이라는 군!

이러한 것들은 '사료'라고 해.
설마 강아지 사료를 말하는 건 아니지?

역사가들은 이러한 사료들을 연구해서 앞뒤가 어떻게 연결되는지를 알아내고

이후에 어떤 영향을 미치게 되는지
우리 문화가 일본에 많은 영향을 준 사실은 이 도자기를 통해서도 알 수 있다고!
조선도자기
일본 도자기

그리고 이로 인해 사람들의 삶은 어떻게 달라지는지 등을
도자기를 보고 있으면 행복해!

연구한단다.
잉크

이렇게 해서 알아낸 과거의 사실들을 가지고
촤르...
출력
촤아

역사가의 관점에 따라 해석하여 서술한 것을 '역사'라고 해.
역사학자 "김혁수"의 논문발표회
세계의 중심 고구려

이야기가 길어졌네.
왜 이리 안 열려?
끙
끙
역사

자! 본론에 들어가서 지금부터 이 역사라는 말을 처음 썼고
역
사

역사학의 아버지라 불리는 사람에 대해 이야기해 볼까!
역사학의 아버지

아주 아주 오래 전 그리스에
살았던
신전
그리스

헤로도토스라고 하는 사람이야.
헤헤~
이름이 좀
어렵지?

헤로도토스 이전에는 역사가
사실, 신화, 전설과 마구 섞여
있었어.
난 짜장이
좋은데.
전설
신화
사실
짬뽕

하지만 그는 최대한 사실을 알아내어
기록하려고 애썼지.
전설
사실
신화

여러 곳을 돌아다니며 직접 보고,
듣고, 사람들에게 물어 봤어.
여행지
현장
체험이
중요해.

게다가 단순한 사실의
나열이 아닌
?
사실
사실
사실

자신의 관점으로 해석하여
글을 썼어.
흠….
자
신
의
관
점

하지만 아쉽게도 헤로도토스에 대해
알려진 게 별로 없어.
뭐야
나에 대한
이야기는
없잖아!

《역사》라는 위대한 책을
썼지만 자신에 대해 쓴 것은
거의 없거든.
남의 노래만
불러서 그래.
지금부터라도
내 노래를
불러야지.

심지어 언제 태어나고 언제
죽었는지에 대해서도 정확하지
않아.
주민 등록 등본
이름
헤로도토스
나이
모름
주소
모름
생년월일
잘 모름

그나마 그에 대해 알 수 있는 것은
그가 죽은 지 1400년이나 지난 뒤에
출간된
파닥
너무해..
파닥

《수다》라는 책을 통해서야.
훗~
드디어
데뷔다.
SUDA
백과사전

헤로도토스는 대략 기원전 480년경에 태어났을 거라 짐작되고 있어.
기원전 480년
탄생

페르시아와 그리스 사이에 치열한 전쟁이 벌어지고 있을 즈음이었지.
그리스
전쟁
페르시아

헤로도토스가 《역사》에서 주제로 삼았던 바로 그 전쟁 말이야.
주제가 좋아야 돼
전쟁?

그의 출생지와 성장 배경 역시 정확한 자료가 없단다.
알에서 태어났나?
알

헤로도토스는 《역사》의 첫 마디를 이렇게 시작하고 있어.
슥
슥

할리카르나소스의 헤로도토스가 탐구하여 알아낸 바
슥

태어난 곳이 정확하지는 않지만 그가 밝혔듯이 헤로도토스는 소아시아* 남서부에 있던 도시
마케도니아
트라키아
흑해
카스피 해
그리스
마라톤
트로이
리디아
소 아 시 아
사르디스
아테네
밀레트스
할리카르나소스
수사
사모스
스파르타
바빌로니아
크레타 섬
지중해
시리아
페니키아
이집트

할리카르나소스에서 자란 것이 분명해.
소아시아
할리카르나소스

*소아시아 – 현재의 터키 아나톨리아 지방으로, 동양과 서양을 연결하는 통로이자 예로부터 여러 문명이 싹튼 곳이다.

그곳은 현재 터키의 보드룸 지역이야.
할리카르나소스
?
터키
보드룸

헤로도토스를 이해하기 위해 할리카르나소스에 대해 알아보자.
?

지금은 그곳이 터키 땅이지만 그때는 그리스 도리아 인들의 식민지였어.
지배 계층 도리아 인

식민지라고 해서 그리스 본국의 정치적 지배를 받았다는 뜻이 아니라
본국
쿵
식민지

그리스 인들이 와서 만든 도시라는 거야.
도시 설계도

도리아 인들은 기원전 11세기 쯤 그리스 펠로폰네소스 반도에서 그곳으로 이주했어.
이주

소아시아 지역엔 이렇게 그리스 인이 개척한 도시들이 아주 많았지.
그리스
부우웅
소아시아

할리카르나소스는 도리아 인들이 세운 도시였지만
도리아인

사실 소아시아의 서쪽 지중해 연안과 에게 해에 접해 있는 지역의 도시들은
마케도니아
트라키아
흑해
에게해
트로이
사르디스
아테네
사모스
밀레투스
스파르타

대부분 이오니아 인들이 세웠어.
이오니아
이오니아
이오니아
이오니아
이오니아

그래서 이곳을 아예 이오니아 지방이라고 부른단다.
이오니아가 어디우?
여긴데?

이오니아 지방이야말로 고대 그리스의 상업 활동의 중심지이자 사상과 문화의 중심지였어.
이오니아
문화의 중심지
상업의 중심지

그리스 본토에서 멀리 떨어진 이곳이 왜 고대 그리스의 사상과 문화의
사상과 문화의 중심지
이오니아
중심지였어?
본토

역시! 날카로운 질문이야.
싹
질
문
툭

일단 이오니아 지방은 지리적으로 동양과 서양이 만나는 길목에 위치하고 있어.
서양
비켜! 내가 먼저 왔어!
무슨 소리!
동양
이오니아

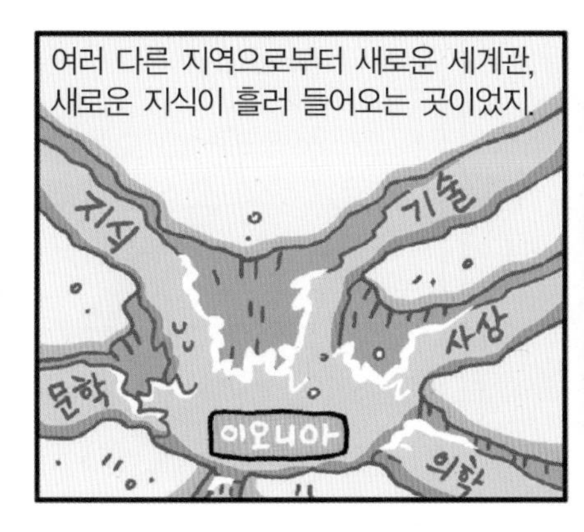
여러 다른 지역으로부터 새로운 세계관, 새로운 지식이 흘러 들어오는 곳이었지.
지식
기술
사상
문학
이오니아
의학

게다가 "빛은 오리엔트로부터" 라는 말이 의미하는 것처럼

발달된 오리엔트 문화의 전통이 흐르는 곳이었어.
발달된 문화!!

페니키아 인들에게서 처음으로 알파벳을 도입한 민족도 바로 이오니아 지방에 사는 그리스 인이었대.
a, b, c 재미 있네.
알파벳

또 이 도시들은 그리스 본토의 도시보다 새로 생겨났기에
새로운 곳이 필요해!
본국
삐걱
삐걱

훨씬 더 자유롭고 생기가 넘치는 도시였지.

또한 그리스와 페르시아 사이의 무역을 통해 경제적으로도 꽤 살 만했어.
싸게 주는 거야.
고마워.

원래 문화나 사상은 먹고살 만해야 발전하는 것 아니겠어?
잘 먹었다. 이제 영화나 좀 볼까?

가난해서 먹고살기 바쁜데 그런 걸 돌아볼 겨를이 있겠어?
이걸 다 팔아야 아이들 끼니를…. 어흑!

지중해를 무대로 상업 활동을 하다 보니 이오니아는 보다 보편적이고 합리적인 생각이 중시되는 분위기였어.
많이 사면 싸게 줄게.

항해를 하다 보면 별별 일이 다 생길 것 아냐.
암초다! 배를 돌려!

날씨도 잘 살펴야 하고 어려운 상황에서도 냉철한 판단력을 가져야 했겠지.
비가 올 것 같군!
쿠르르르…

또한 장사를 잘 하려면 자기들만의 관습에서 벗어나 다른 사람의 마음을 읽고 객관적인 판단력을 가져야 했어.

돈 좀 있어 보인다!

사실 그 전까지 그리스 인들은 인간 세상에서 벌어지는 모든 일들을

댐이 무너졌다!

신의 의지나 장난, 분노 같은 것으로 이해했어.

콰
아
신이 분노했다!

하지만 이오니아는 지적인 호기심과 비판적인 사고로 가득했지.

신이 노한 거야!
아니야! 자연 현상일 뿐!

자연히 신화에 대해 의문을 제기하고 탐구적인 방법으로 학문을 연구하는 경향을 낳았고

보라고!
이곳에 균열이 가서 댐이 무너진 거야.

이러한 분위기 속에서 이오니아의 대표적인 도시 밀레투스를 중심으로 밀레투스 학파가 생겨났어.

밀레투스

그 대표적인 인물이 바로 '철학의 아버지'로 불리는 탈레스야.

그는 "만물의 근원은 물이다!" 라고 주장했어.

물은 생명을 위하여 불가결한 것.

사실 그 말이 지금의 우리들에게는 조금 황당하게 들리지만

물질을 형성하는 원소로는 ….
H₂ . O₂ . Co₂
Mg . K . Ca
Ti Ba .

"세상은 과연 무엇으로 이루어져 있을까?"

이런 본질적인 질문을 처음으로 던졌다는 데 의미가 있어.

신이 세상을 만든 게 아니라면 ….

원래 철학이라는 것이 눈에 보이는 것보다 본질적인 모습과 그 의미를 찾는 학문이잖아.

이건 똥이 아니야.
생명의 원천이지.
아우~ 냄새.

탈레스에 대한 몇 가지 이야기를 들려줄게.

탈레스는 누구인가?

어느날 그는 우주의 이치를 탐구하느라 하늘만 보고 걷다가 물웅덩이에 빠졌어.

그것을 본 하녀가 이렇게 말했지.

호호호
우주의 이치를 살핀다는 분이 발 아래 웅덩이도 못 살피는군요.

또한 그는 최초로 피라미드의 높이를 잰 사람이기도 해.

자신의 키 : 자신의 그림자 = 피라미드의 높이(×) : 피라미드의 그림자

이 비례 공식을 이용하면 운동장에 서 있는 큰 나무의 높이도 구할 수 있지.

이오니아 지방 출신의 철학자이자 수학자가 또 있어.

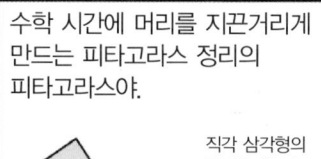

수학 시간에 머리를 지끈거리게 만드는 피타고라스 정리의 피타고라스야.

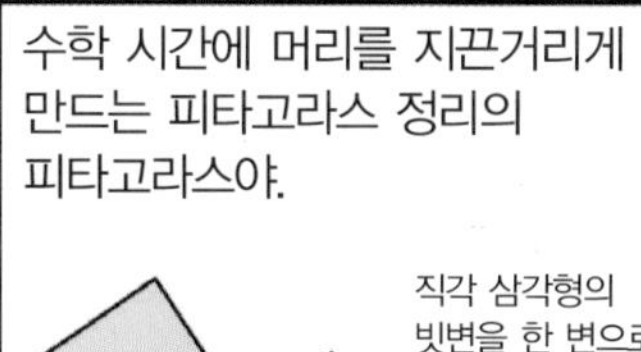

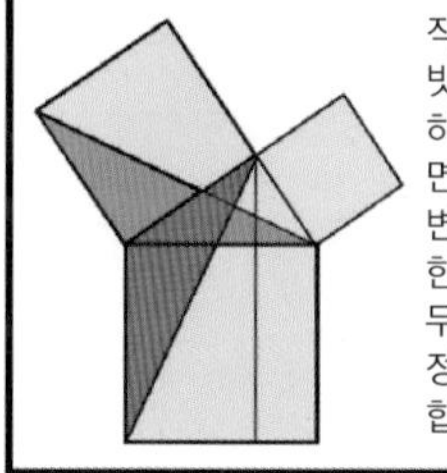

직각 삼각형의 빗변을 한 변으로 하는 정사각형의 면적은, 다른 두 변을 각각 한 변으로 하는 두 개의 정사각형의 면적의 합과 같다.

그 역시 이오니아 지방의 사모스 섬 출신이야.

피타고라스
사모스 섬

이러한 이오니아 지방의 문화적 사상적 분위기 속에서 헤로도토스가 어린 시절을 보내고 자란 덕에

문화

《역사》라는 걸작품을 쓰게 되었지.

역사

그가 태어나고 자란 할리카르나소스는 밀레투스 바로 이웃에 있는 도시였고

어서 오세요
여기서부터는
밀레투스
입니다.

사모스 섬은 헤로도토스 가족이 정치적 사건에 휘말려 할 수 없이 고향을 떠나 머물게 된 제2의 고향 같은 곳이었지.

사모스

헤로도토스는 독재자였던 할리카르나소스 왕의 미움을 사

죽을래? 떠날래?

사모스 섬으로 망명을 하게 되는데

꾸벅
어서 오시게.
사모스
잘 부탁 드립니다.

《역사》 3권에 사모스에 대한 이야기가 많이 나오는 걸로 봐서 상당 기간 동안 그곳에서 살았던 것으로 보여.

이곳이 맘에 들어!

할리카르나소스에 민주정이 들어서자 그는 다시 고향에 돌아왔고

민주정
다시 가 볼까?

자신이 그동안 계획했던 책을 쓰기 위해 다시금 머나먼 여행길에 오르지.

대장정
죽기 전에 이 일을 끝마쳐야지.

그는 전해져 내려오는 이야기를 믿지 못했고

한 사람만 건너도 말이 바뀌는 법이지.

직접 현장에 찾아가 보고, 듣고, 확인하려 했어.

키루스는 소치기 아들이 아니야.

《역사》에서, 전해져 내려오는 사실들을 직접 보고 들은 증거를 내세워, 아니라고 부정하는 것이 곳곳에서 발견되거든.

NO

이 긴 여행의 시기나 구체적인 것에 대해서 정확히 알 수는 없어.

2
6
9
12
17

다만 그의 발길이 머물렀던 지역을 짐작할 수 있을 뿐이야.

이젠 어디로 갈까?

대략 소아시아의 에게 해의 섬들, 이집트, 시리아 지역, 페니키아, 트라키아

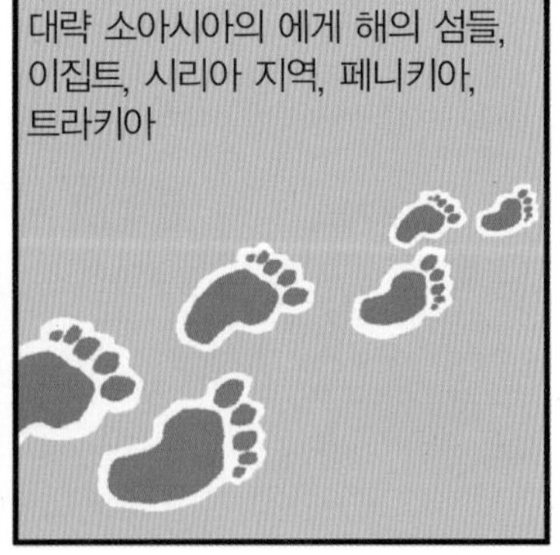

북쪽으로는 흑해 북부의
스키타이 지역
스키타이
지금의 러시아 남부
최초의 기마 유목 민족
흑해
소아시아

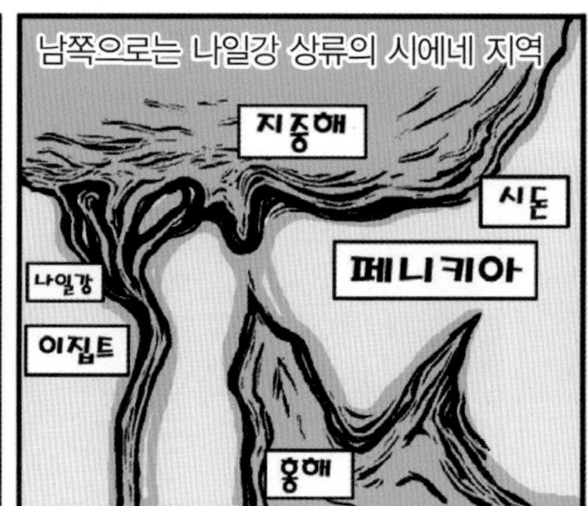
남쪽으로는 나일강 상류의 시에네 지역
지중해
시돈
페니키아
나일강
이집트
홍해

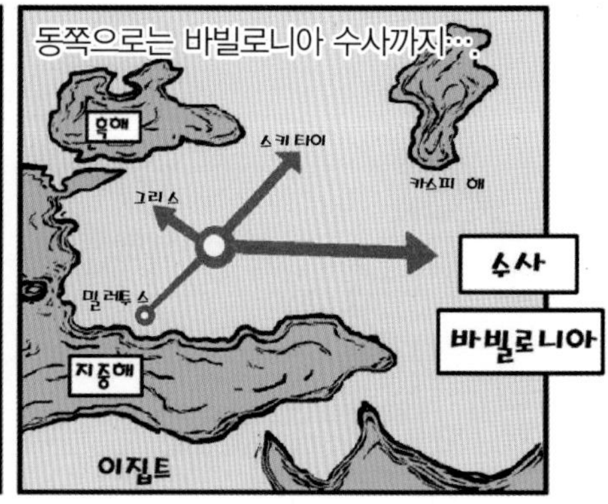
동쪽으로는 바빌로니아 수사까지….
흑해
스키타이
카스피 해
그리스
수사
밀레토스
바빌로니아
지중해
이집트

당시의 교통 사정을 생각하면
교통이랄 것 까지야. 두 다리가 전부인데.

한 개인의 능력으로 이 대장정의 여행이 가능했을까 하는 의구심마저 들어.
차로도 몇 년은 걸리겠다.

생각해 봐. 제대로 된 정보가 있기를 하겠어?
바빌론이 도대체 어디야?

교통수단이 제대로 있겠어?
걷는 게 빠르겠다.
날… 무시!

말이 통하길 하겠어?
May I speak…
뭔 소리여!

게다가 경제적 비용은?
조금만 깎아 주세요.
안 돼!

또 여행 중 닥칠 위험 상황은?
털어 봐야 수고비도 안 나오겠다.
으으으

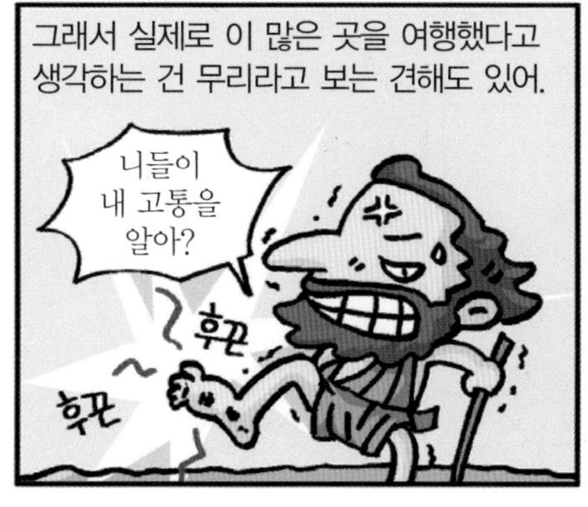
그래서 실제로 이 많은 곳을 여행했다고 생각하는 건 무리라고 보는 견해도 있어.
니들이 내 고통을 알아?
후끈
후끈

《역사》를 보면 전해져 오는 이야기를 통해 알아낸 것들이 많아.
역사

예를 들어, '~라고 말했다.' '내가 ~라고 들었다.' 식의 표현이 많거든.
그래, 남의 도움을 좀 받았어. 그게 어쨌는데?

그래서 헤로도토스가 직접 답사했다기보다는
뭐 멀리까지 갈 필요 있수~ 술 한잔이면 내가 다 이야기해 줄 텐데….

많은 부분들이 남에게 들은 정보를 통해 썼다는 거지.
술만 먹지 말고 빨리 이야기 좀 해 주구랴.

아무래도 직접 가 본 곳에 대해서는 좀 더 자세히 썼겠지.
술값만 나갔네. 직접 가서 보고 말지.

예를 들어 흑해 연안이나, 이집트, 페르시아 내륙 지방, 아프리카 북부 해안 등은 직접 여행을 했을 거라 여겨져.
헬레스폰트 해협
트로이
카스피 해
소아시아
밀레토스
수사
바빌로니아
페니키아
이집트

또한 그의 여행은 구경이 아니라 책을 쓰기 위한 목적이었던 만큼
원래 여행이란 천천히 보고 즐기는 거 아니겠수?

상당히 빠른 속도로 여행을 진행했을 거야.
얼마나 열심히 했는지 몰라!

그리고 그는 아테네에 상당히 오랫동안 머물렀어.
누구나 재충전이 필요해!

그가 그곳에 머물고 있을 때 아테네는 여러 분야에서
기술
정치
수사학
철학
의학

이미 그리스 세계의 중심으로서 탁월한 위치를 확립하고 있을 때였지.

페리클레스라는 탁월한 지도자의 지휘 아래 최고의 번영을 누리고 있을 때였거든.
와

그리스 전역으로부터 수많은 사상가들이 몰려들었고
아테네 행

비극, 희극, 의학, 철학, 수사학에 있어
철학
수사학
비극
의학
희극

가히 지적인 혁명이라고까지 할 수 있는
창조적인 시기를 보내고 있었어.
지적인 혁명

헤로도토스는 이들과 교류하며 많은
영향을 주고받았을 거야.
철학
수의학
의학
문학

헤로도토스는 아테네가
그렇게 번성한 원인을
민주정에서 찾았어.
원탁회의

아테네가 그리스 최고의 도시가 된
것은 참주정*에서 벗어나
뻥
독재자

자유롭고 평등한 사회를 이뤘기
때문이라는 거지.
그럼 뭐해?
시민과 남자들만의
평등을
내세우잖아.

헤로도토스는 특히 자유를
아주 중요하게 생각했어.
Freedom

＊참주정 – 독재자에 의한 정치.

페르시아 전쟁에서 얻은 아테네의 최고 영예도
전제 세력의 침략에 대항하여 자유를
지켰다는 점이라는 거야.
자유

기원전 444년경 헤로도토스는
아테네를 떠날 준비를 하지.

그가 도착한 곳은
투리오이라는 곳으로
트라키아
마케도니아
그리스
투리오이
지중해

헤로도토스는 식민지 개척 사업에
참여하게 돼.
끙~ 끙~.

원래 아테네는 외국인들의
일상생활에 아무런 제약도 가하지
않았어.
멋지다!

하지만 아테네 시민권
소유자와는 철저히 구분되었지.
시민권자만
입장가능

그래서 많은 사람들이 시민권을 주는 식민지 사업에 참여하게 되었어.
식민지건설
시민권

헤로도토스도 아마 같은 이유로 식민지 건설에 참여하지 않았을까 추측해 보는 거지.
감~동!!
나도 이제 아테네 시민 이다~!
시민권

거기서 헤로도토스는 프로타고라스, 엠페도클레스라는 인물들과 함께 일을 하게 돼.

프로타고라스는 다음과 같은 말로 유명하잖아.
인간은 만물의 척도이다!
프로타고라스

그는 특히 투리오이의 헌법을 작성할 정도로 중요한 역할을 했던 인물이지.
法
法

엠페도클레스는 시, 정치, 의술 등 다방면에서 뛰어난 재능을 보였고
너희가 힙합을 아느냐~
Say ye~
만능 엔터테이너

예언자로도 유명했으며
아~~ 보인다, 보여~

피타고라스 학파의 뛰어난 철학자이기도 했어.

이들과의 인연도 헤로도토스에게 많은 영향을 미쳤을 거야.
인연의 고리

잠깐씩의 여행 기간을 빼고
잠시 여행중

헤로도토스는 투리오이에서 마지막 여생을 보낸 것으로 추정돼.
투리오이

옛날 어떤 책에는

'할리카르나소스의 헤로도토스….' 라는 표현 대신에
역 사
할리카르나소스의
헤로도토스

'투리오이 출신의 헤로도토스….' 라는 표현이 있을 정도야.
역 사
투리오이 출신
헤로도토스

또 분명하지는 않지만 그의 묘소가 투리오이에 있다는 이야기도 있어.
헤로도토스
여기 잠들다

아마 투리오이에서 《역사》의 탄생 작업이 마무리되지 않았을까?
역사

헤로도토스가 언제 죽었는지도 정확하지 않아.
나의 죽음을 알리지 마라!
장군!

다만 《역사》에 펠로폰네소스 전쟁이 언급된 걸 보면

최소한 기원전 430년 이후인 것만은 분명해.
예수인 나보다 몇 백 년 먼저 태어났군!

그럼 대략 기원전 425년에서 420년 정도로 볼 수 있어.
기원전 425~ 420년

《역사》라는 그의 걸작과 헤로도토스의 위치를 생각해 본다면
역 사

그에 대한 자료는 너무 부족해.
모래알에서 사금 찾는 거랑 비슷하군.

아쉽지만 헤로도토스라는 인물에 대해서는 이 정도에서 정리하고
The end

이제 《역사》 속으로 들어가 볼까나! 짜잔~.
역 사
헤로도토스

신화 속의 트로이 전쟁

파리스의 심판

파리스가 헬레네를 유혹하여 가로채고 메넬라오스에게 돌려주기를 거부한 것은 트로이 전쟁의 원인이 되었다. 왼쪽부터 헤라, 아테나, 아프로디테, 에로스, 헤르메스, 파리스.

어느 날 테티스 여신의 결혼식 만찬이 열렸는데, 불화의 여신 에리스는 초대를 받지 못했어요. 에리스는 만찬장으로 가서 '가장 아름다운 여신에게' 라는 문구가 새겨진 황금 사자를 던져 놓았지요. 자기가 가장 아름답다고 생각한 헤라와 아프로디테, 아테나는 서로 사과를 차지하기 위해 다퉜어요. 제우스는 트로이의 왕자 파리스에게 심판을 내리게 했어요.

여신들은 파리스에게 자기를 가장 아름다운 여신으로 지목해 달라고 부탁했어요. 헤라는 그에게 최고의 권력과 부를, 아테나는 전쟁에서의 승리와 영광을, 아프로디테는 세상에서 가장 아름다운 여자를 아내로 얻어 주겠다고 약속했지요.

파리스는 아프로디테를 선택했어요. 다른 두 여신의 노여움을 사게 된 것은 당연한 일이었지요. 파리스는 약속대로 아프로디테의 도움을 받아 세상에서 가장 아름다운 여인, 스파르타의 왕비 헬레네를 유혹하여 함께 트로이로 도망을 갔어요.

원래 스파르타의 왕비 헬레네는 그리스 전역에서 그녀의 아름다움을 전해 듣고 몰려온 구혼자들이 줄을 이었던 사람이었어요. 문제는 헬레네가 그 중 어느 한 사람과 결혼하게 되면, 그는 나머지 구혼자들의 적이 된다는 사실이었어요. 그래서 오디세우스의 제안에 따라 누가 헬레네를 아내로 맞든지 혹시 누군가 그녀를 강제로 빼앗는 일이 생기면, 구혼자였던 남자들 모두 힘을 합쳐 헬레네의 남편을 도울 것을 맹세했지요. 헬레네는 결국 가장 힘이 강했던 미케네 왕 아가멤논의 동생이자, 스파르타의 왕 메넬라오스의 아내가 되었어요.

그런 헬레네를 트로이의 파리스가 데려간 거예요. 아내를 빼앗긴 스파르타 왕 메넬라오스는 복수를 하기 위해 트로이 원정에 나섰어요. 맹세했던 구혼자들도 합류했지요. 형인 아가멤논이 총사령관을 맡고 아킬레우스, 오디세우스, 아이아스, 디오메데스 등 영웅들이 총출동한 그리스 연합군이 트로이로 진격했어요. 트로이와 그리스, 양측 모두 신들의 지원과 방해를 받으며 오랫동안 전쟁이 계속되었어요. 그런데 아킬레우스는 자신이 아끼던 노예를 아가멤논이 빼앗은 데 불만을 품고, 전쟁터에 더 이상 나가지 않겠다고 선언했어요. 바로 이 대목에서 호메로스의 《일리아스》가 시작되지요.

자신의 갑옷을 입고 출전한 친구 파트로클로스가 치열한 전투 끝에 적장 헥토르(트로이 왕 프리아모스의 아들이자 파리스의 형)의 칼에 전사하자, 분노한 아킬레우스는 전투에 나가 헥토르를 죽임으로써 복수를 했어요. 아킬레우스는 죽은 헥토르의 시신을 질질 끌고 트로이 성 밖을 돌아다녔어요.

늙은 프리아모스 왕은 멀리서 아들의 시신마저 모욕당하는 것을 지켜보았어요. 그는 맨발에 낡은 가운만을 걸친 채 전쟁터를 가로질러 아킬레우스의 막사를 찾아갔어요. 그러고는 아킬레우스 앞에 무릎을 꿇고 아들의 시신을 돌려줄 것을 간청했어요. 아킬레우스는 헥토르의 시신을 넘겨주었지요.

트로이 유적

트로이 전설은 고대 그리스 문학에서 가장 중요한 주제였으며, 호메로스 서사시의 근간을 이룬다.

한편 그리스 군대는 오디세우스의 제안에 따라 거대한 목마를 만들고 그 안에 병사들을 숨겨 놓은 다음, 전쟁을 포기하는 듯 꾸며 트로이 성을 함락하였어요. 이렇게 해서 10년이나 계속되던 전쟁은 그리스의 승리로 끝났습니다.

제3장
페르시아, 역사의 무대에 등장하다

《역사》의 가장 중요한
두 주인공은

그리스와 페르시아야!
그리스
VS
페르시아

그 중 하나인 페르시아가
페르시아

어떻게 역사에 등장하는지 알아보자.
등장
페르시아
짠
역사

기원전 6세기경 지금의 이란 북서쪽에 메디아라는 나라가 있었어.
메디아

메디아는 아주 강성해서
이웃 나라들을 모조리 정복한 왕초
나라였지.
왕초

그때는 페르시아도 메디아의
속국이었어.
메디아
흑

그때 메디아의 왕은 아스티아게스
였는데
메디아

어느 날 그는 이상한
꿈을 꿨어.
헉

그 후 딸 만다네가 결혼할
나이가 되자

그는 사윗감을 메디아 인 중에서
고르지 않고
따라와~.

자신의 속국인 페르시아의
한 청년과 결혼시켰어.
말하자면 별 볼일 없는
남자를 사위로 맞은 거지.

맛있다!
그만 좀
먹어!
후후~
저 정도면
안심이다.

또 그 딸이 아이를 갖게
되었을 때
이상하다?
먹은 것도
없는데
배가
자꾸
부르네?

왕은 또 이상한
꿈을 꾸게
되었어.
만다네
아들
메디아

점성술사에게 꿈 해몽을 듣고 난 왕은
죽이지 않으면
반드시 해를 입어요!
뭐라!

딸이 아이를 낳으면 아예 그 아이를
죽여 버리기로 결심했지.

점술가들이 뭐라고 했냐고?

딸이 낳은 자식이 자신을 대신하여 왕이 될 거라고 했던 거야.

딸은 마침내 아들을 낳았고 키루스라 이름 지었어.
응애

왕이 그 아이를 절대 가만 놔둘 리 없었어.
제발 아이만은 살려 주세요~.
미안하구나! 어쩔 수가….
응애~
응애~

자신의 가장 가까운 신하였던 하르파고스를 불러

그 아이를 죽이라고 명령했지.

명령을 전해 들은 하르파고스는 아이를 안고 고민에 빠졌어.

어떡하나…. 왕은 나이가 많은데 왕자는 없고, 왕이 죽기라도 하면 왕위는 당연히 딸에게 넘어갈 텐데.

내가 만약 이 아이를 죽인 걸 안다면 날 가만 놔두지 않을 테고….

결국 자신에 손에 피를 묻히는 것이 두려워진 하르파고스는 묘책을 생각해 냈어.

왕의 다른 하인에게 이 일을 대신하도록 해야겠다.

하르파고스는 왕의 소치기 중 한 명을 불러
자! 받아!
응애~

왕께서 네게 명하시길
이 아이를 사나운 짐승들이 들끓는
산속에 버리라고 명하셨다.

만약 명령을 어기면
큰 벌을 받을 거란 말을
들은 그 소치기는

아기를 안고 집에 돌아가

아내에게 자초지종을 얘기했지.

그러자 아내는 크고 잘생긴 아이가
생글거리는 걸 보고

자신들의 자식으로 키우자고
애원했어.
그럼 우린
다 죽어!

마침 소치기의 아내는 죽은 아이를
낳고 상심해 있던 터라

소치기는 죽은 자신의 아이와 공주의
아이를 바꾸고

자신의 아이를 죽은 공주의
아이처럼 꾸몄어.
다음 세상에선
부디 좋은
곳에서 태어
나거라.

그리고 얼마 후 하르파고스의 하인이 왔어.
냄새!
우~

뒤탈이 걱정되었던 하르파고스가
하인을 보내 확인시켰던 거지.
지금쯤
모두
끝났겠지.

소치기는 그 하인이 보는
앞에서 아이를 매장했어.

이렇게 해서 공주의 아이는
소치기의 아들로 무럭무럭 컸어.

열 살이 되던 어느 날 또래들과
놀이를 하던 중

소치기의 아들이 아이들의 왕으로
뽑혔어.
우두머리

왕으로 선출된 아이는 다른 아이들에게
각각의 명령을 내렸어.
너희는 집을 짓고
왕을 호위하고
보고를 해라!
네! 알겠습니다

그런데 그 아이들 중 높은 관리의
아들이 끼어 있었던 거야.
난 안 해!
뭐야?

그 아이는 소치기의 아들 따위가
명령하는 게 싫었지.
내가 왜 네 말을 따라야 돼?

그래서 어깃장을 놓았나 봐.
체! 이게 무슨 왕궁이야.

그런데 세상에!
곤장

소치기의 아들은 그 아이를 호되게 때렸어.
으악~
퍽!

그러니 난리가 났지.
이놈~ 감히 겁도 없이 내 아들을 건드려? 잡히기만 해 봐!

그 아비는 직접 자식을
왕에게 데려가
전하 드릴 말씀이 있습니다.
말해 보게.

상처를 보이며 하소연을 했어.
전하의 노예인 소치기 자식 놈이 귀한 제 자식을 이렇게 만들었습니다.
뭐라!

왕이 생각해도 너무 괘씸해 소치기의 아들을 불러들였어.

천한 놈이 어떻게 귀한 신분의 아이에게 그런 행패를 부린 것이냐?

뭐라?
전하! 저는 정당합니다.

놀이이긴 했지만 아이들이 저를 왕으로 뽑았습니다. 다른 아이들은 모두 왕의 말에 복종하는데

저 아이만 왕의 명령을 거역했습니다.

그것 때문에 제가 혼이 나야 한다면 준비는 돼 있습니다.
이놈 보세…?

아이에게 뭔가 이상함을 느낀 왕은
보통 놈이 아닐세?

아이를 천천히 살피기 시작했어.
어디서 많이 본 것도 같고

이상하게 느꼈던 게 당연하지. 자신의 외손자였으니까.
소치기 아들이라기엔 너무 훌륭해.

더군다나 자신이 죽게 한 그 아이와 나이가 같다는 것을 안 아스티아게스 왕은
몇 살이더냐?

소치기를 따로 불렀어.
따라와~.

지금부터 내가 묻는 말에
한 치의 거짓도 없이
답하거라!

저 아이를 어디서 얻었느냐?

또 저 아이를
네게 건네준 이는 누구냐?

물론 소치기는 펄쩍 뛰며 자기
자식이라고 했지.
전하
그 무슨
당치도
않는….
저 아이는
제
자식입니다.

그 말을 순순히 믿을 왕이 아니었지.

네놈이 정녕 고문을 당해 봐야
바른 말을 하겠느냐?
전하!

결국 그때서야 소치기는 손이 발이 되도록 빌고
살려
주십시오.

지금까지의 일을 상세히
말했어.

왕은 소치기보다 자신을
배신한 하르파고스에 대한
배신감이 더욱 컸어.

이놈!

결국 분노를 이기지 못한 왕은
하르파고스를 잡아들였어.

소치기를 한눈에 알아본
하르파고스는

모든 걸 순순히 불었지.
더… 더… 더…
후우~.
음주측정

왕이시여! 저는 어떻게 하면
전하의 뜻을 받들면서도
흥!

전하의 외손자를 제 손으로
죽이는 죄를 짓지 않을까
고민했습니다.

고민 끝에 소치기를 불러
인적 없는 산에 버리고

죽을 때까지 꼭 지켜보라고
단단히 일렀습니다.

제 시종에게 매장까지
확인하라고 일렀습니다.

왕은 속으로 배신감에 치를 떨었지만
아무렇지도 않은 듯
푸하하, 아이가
살았으면 됐소!

나도 그 아이에게 몹쓸 짓을
하고 몹시도 마음이 아팠소.

물론 딸에게도 원망을 받아
마음이 아팠지만….

다행히 운이 좋게 이런 결말로
끝나서 아주 다행이오!
휴우-살았다

그리고 그대의 아들을 궁으로
보내 주시오.
아들?

아이를 구해 주신 신께
감사의 제물을 바치려고 하니

그대는 나와
식사를 하러 오시오.
히히...

잔뜩 긴장했던 하르파고스는
생각지도 않은 결말에
휴우~

가벼운 발걸음으로
집에 돌아왔고

왕의 말대로 아들을 치장하여

궁으로 보냈지.

그러나 세상에!
BUt

왕이 어떻게 했을까?

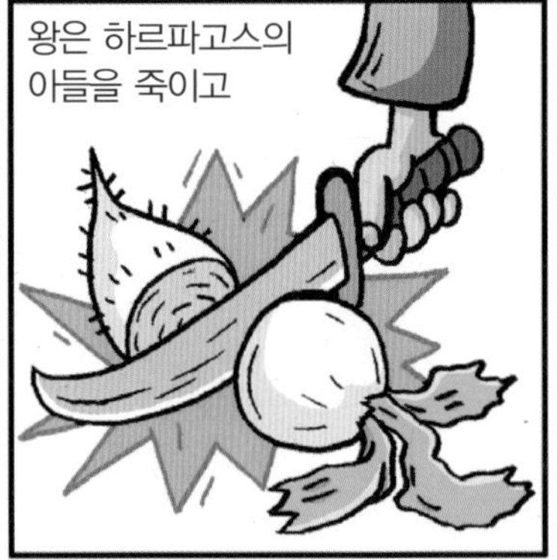
왕은 하르파고스의
아들을 죽이고

요리로 만들었어.

많이 먹게!
맛있겠다!

왕은 그가 맘껏 배불리 먹게
내버려 두다가
말했지.
꺼억

이게
뭔지 아나?

그리고 요리하고 남은 아들의 머리와
손발을 보여 줬어.

oh my god!!...

너무 끔찍해서 소름 돋지?
어떻게 이런 일이….

하지만 하르파고스 이 사람도
만만치 않았어.

아주 태연하게 왕이 하시는 일에 별로
개의치 않는다고 했지.

물론 속으로는
하하...
우~웩

피눈물을 흘리며

복수의 칼을 갈았어.

벌써부터 궁금해지지? 하르파고스가
어떤 복수를 꿈꾸고 있을지….
섬뜩
섬뜩

이렇게 하르파고스에게 잔인한 벌을 내린
왕은 다시 점쟁이를 불렀어.

그 아이가 시골에
살고 있을 때 마을
아이들이 그 애를 왕으로
뽑았거든.

근데 그 아이가
진짜 왕이 하는 일을 모두
훌륭하게 해냈대!

왕은 점쟁이에게 해석해 보라고 했어.
음

만약 그 아이가 아이들의 왕이 된 것이 어떤 술수에 의한 것이 아니라면

이젠 걱정하지 않으셔도 됩니다.

아이는 왕이 되었고 꿈은 현실에서 이루어 졌으니까요.

그 아이는 다시는 왕이 되지 못할 겁니다.
메에~

나도 그렇게는 생각하지만 뒤탈이 없게 무슨 조치라도 해야 되지 않을까?

폐하! 우리도 페르시아 인에게 왕위가 넘어가는 걸 원하지 않습니다.

별일 없을 테니 마음 놓으소서. 다만 옆에 두면 걱정을 사서 하게 되시니 그 아이는 부모에게 보내소서.

옳다구나!

마음이 놓인 왕은 외손자 키루스를 불러 말했어.
얘야, 내가 괜히 꿈 때문에 너에게 못할 짓을 했구나!

넌 운 좋게 살아 남았으니 너의 진짜 부모가 있는 페르시아로 돌아가거라.

네 부모는 소치기와는 비교도 할 수 없이 훌륭한 사람들이란다.
소치기
신분차이..
왕족

이리하여 키루스는 페르시아의 친부모에게 돌아가 자기 자리를 되찾았어.

될성부른 나무는 떡잎부터 알아본다는 말 있지?

어릴 때도 우두머리로 손색이 없던 키루스가 멋지게 성장하는 건 당연했어!

한편 하르파고스는

자신에게 너무나 잔인한 벌을 내린 아스티아게스에게

복수의 칼을 갈고 있었어.
복
수

일단 하르파고스는 왕의 신임을 얻기 위해 온갖 노력을 하며 기회를 엿보았지.

물론 키루스에게 선물을 보내 환심을 사는 일도 잊지 않았어.
하르파고스의 선물입니다.

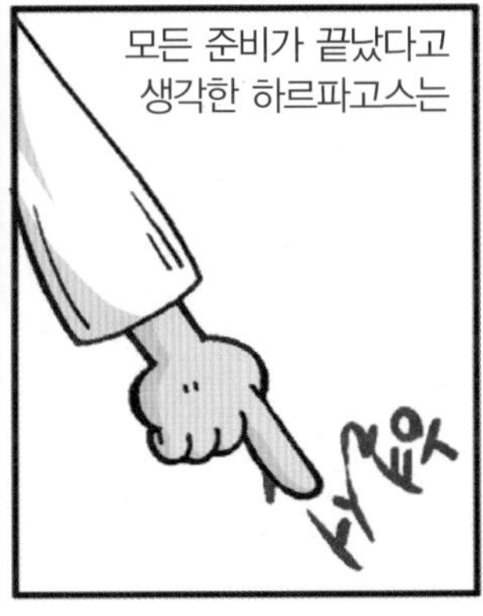
모든 준비가 끝났다고 생각한 하르파고스는

토끼 한 마리를 사서

배를 갈라 그 속에 자신의 계책을 쓴 편지를 넣고 꼬맸어.

그리고 가장 믿을 만한 심복을 골라 사냥꾼으로 위장시켜

토끼를 페르시아로 보냈어.
페르시아

일은 착착 진행되어 드디어 어른이 된 키루스는

토끼 뱃속에 있는 편지를 받았지.

당신에게 신의 가호가 함께 하길 빕니다.
당신을 없애려고 한 아스티아게스 왕에게 꼭 보복하십시오.

당신은 신의 가호와 제가 없었다면

이미 이 세상 사람이 아니란 걸 알고 있을 겁니다.

제 계획대로만 하면 이 땅은 모두 당신의 것입니다.

페르시아 국민들을 설득하여 반란을 일으켜•••

메디아로 쳐들어오십시오.

토벌군이 누가 되었든 간에

당신에겐 절대 피해가 없도록 이미 손을 써놨습니다.

이쪽에선 왕을 쓰러뜨릴 준비가 끝났으니 제 말대로만 하십시오.

키루스는 아스티아게스 왕이 자신을 페르시아 사령관으로 임명했다고 거짓말을 하여

페르시아 시민들에게 낫을 들고 모이라고 했어.

그리고 가시나무 투성이인 땅을 개간하도록 명령했어.

그들은 하루 종일 뼈가 빠지게 일했어.

그리고 다음 날 가축을 잡고 술과 요리를 한껏 차려

페르시아 인들을 대접했어.

그런 다음 물었지.
어제와 오늘 어느 편이 좋은가?

두말하면 잔소리지. 놀고 먹을 수만 있다면야!

이런 그들을 향해 키루스는 소리쳤어.
광

내 말대로만 하면 노예처럼 살지 않고 늘 오늘과 같은 날만 계속될 겁니다.

내 말을 믿고 자유를 위해 일어납시다!
나는 이러한 임무를 맡으라는 신의 뜻에 따라 태어났습니다!

우리 같이 훌륭한 페르시아 인들이
왜 메디아의 지배를 받습니까?
와~아
와!!

빨리 무기를 들고
일어납시다!

이 얼마나
기다려 왔던
순간이냐!!

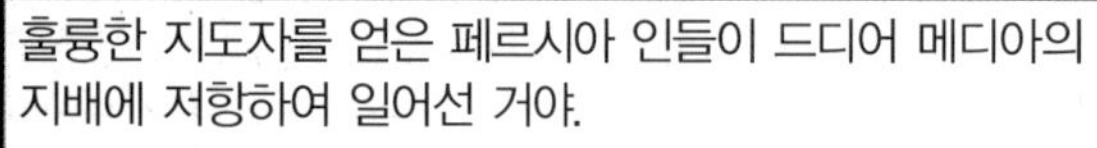
훌륭한 지도자를 얻은 페르시아 인들이 드디어 메디아의 지배에 저항하여 일어선 거야.

페르시아에서 반란이 일어났다는 얘기를 들은 아스티아게스는 토벌대를 보냈어.
모두
섬멸하라!

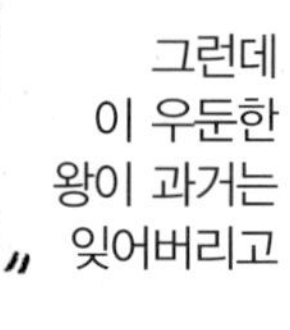
그런데 이 우둔한 왕이 과거는 잊어버리고

토벌대 사령관으로 하르파고스를 임명했어.

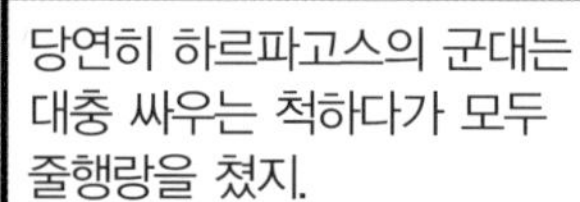
당연히 하르파고스의 군대는 대충 싸우는 척하다가 모두 줄행랑을 쳤지.

화가 난 아스티아게스는 점쟁이들을 죽이고

직접 군대를 끌고 나갔어.

하지만 그는 포로로 잡히고
포로

메디아 군은 전멸했어.

포로가 된 아스티아게스 앞에

하르파고스가 나타나 가슴을 쿡쿡 찔렀어.

왕의 처지에서 노예의 처지로 떨어지니 어때?

네가 내게 한 짓을 잊지 않았겠지? 난 이 날만을 위해서 살아왔어.

일의 모든 전말을 알게 된 왕은
웃어?
푸하하

어리석은 놈! 차라리 네놈이 왕이 되지.

어떻게 페르시아 인에게 왕위를 넘길 수가 있느냐!

아무 죄도 없는 우리 메디아 백성들이 페르시아 노예로 전락하고 말았구나!

이 말에 대해
하르파고스가 뭐라고
대답했는지는

헤로도토스가 기록하지 않아 모르겠어.

헤로도토스의 《역사》에는 인간의
역사에서 개인의 분노와 복수가
복
수

아주 중요한 역할을 하고 있는 것으로
씌어 있어.

이번에도 그렇지?
하르파고스와 키루스의
분노, 복수심이

결국 메디아를 무너뜨리고 페르시아가 역사의 전면에 등장하게 되잖아.

하지만 아시아를
호령했던 메디아 군이

어떻게 오합지졸이었던 페르시아 군을 맞아
제대로 싸우지도 않고 줄행랑을 쳤을까?
메디아

단순히 하르파고스의 술수
때문에?
전략

그렇다면 왕이 직접 군대를
이끌어 나갔을 때는?
나를
따르라!
설
렁

잔인한 왕에게 백성들도
신물이 나지 않았을까?
이제
그만
할래!
나도!

또한 메디아의 지배를 받고 있던
페르시아 백성들은 또 어떻겠어?
메디아

다른 나라의 노예로 살아온
지난 삶이
그만
먹어!

얼마나 고통스러웠겠어?
그만
쳐먹으
라고!
켁!

자유를 위한
열망이
쿨
쿨
텅
텅

얼마나 뜨거웠을지 짐작할 수 있지?

물론 헤로도토스의 《역사》에는

이런 점들이 잘 드러나 있지
않지만 말야

이렇게 하여 키루스가 이끄는 페르시아는 메디아를 대신하여
아시아의 지배자가 되었고 역사의 무대에 짠~! 하고
등장하게 되었어.

두 강 사이의 땅 메소포타미아

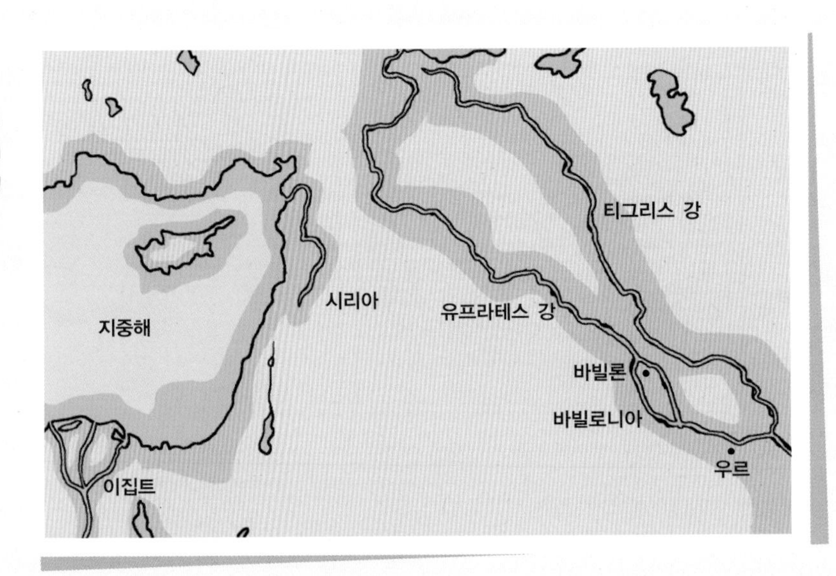

티그리스 강
시리아
유프라테스 강
지중해
바빌론
바빌로니아
우르
이집트

메소포타미아 지역

인류가 최초로 농사를 짓고, 문자와 청동기를 사용하고 국가를 건설한 곳은 바로 메소포타미아입니다. 이곳은 티그리스 강과 유프라테스 강 사이에 있는 '비옥한 초승달 지대' 예요. 메소포타미아란 그리스 어로 '두 강 사이의 땅' 이라는 뜻이지요.

하르파고스

메소포타미아 지역은 남부의 바빌로니아와 북부의 아시리아로 나누어져 있었어요. 남부 바빌로니아의 수메르 지방에서는 세계에서 가장 먼저 문명이 탄생하였는데, 이를 기반으로 메소포타미아 문명이 형성되었어요.

이 지역은 강 유역을 제외하면 대부분 사막이나 초원이고, 연간 강수량이 200밀리미터 이하로 매우 건조해서 농사짓기가 어렵습니다. 하지만 강 유역에는 비옥한 평야가 만들어졌고, 가장 살기 좋은 이곳으로 사람들이 모여들어 농사를 짓고 살면서 서서히 문명이 싹트게 되었어요.

규칙적인 범람으로 강 유역에 기름진 땅을 선물한

나일 강과는 달리, 이곳에서는 강의 범람이 아주 불규칙적이었고, 그래서 홍수의 피해도 자주 있었어요.

또 폐쇄적인 지형의 이집트가 이민족의 침입이 별로 없어 오랫동안 통일 국가가 이어졌던 것과는 달리, 메소포타미아는 침입을 막을 자연 장벽이 존재하지 않는 개방적인 지형이어서 이민족의 침입도 많았어요. 당연히 주인이 자주 바뀌었지요. 게다가 아시아, 아프리카, 유럽이 만나는 길목에 자리하고 있어서 여러 방향에서 힘센 민족이 메소포타미아로 몰려왔어요. 그 중에서 가장 강하고 용감한 민족만이 메소포타미아를 차지할 수 있었어요.

그래서 메소포타미아 인들은 아주 현실적이고 현세적인 세계관을 가지고 있었어요. 걸핏하면 홍수가 나서 애써 농사지은 것을 몽땅 쓸어가 버리고, 또 어떤 강한 민족이 쳐들어와서 주인이 바뀔지 모르는 상황에서 내세를 걱정하는 것은 사치스런 일이었을 거예요. 그리고 국가나 민족의 교체가 빈번했던 만큼 메소포타미아의 문화는 매우 다양한 요소가 어우러졌고, 다른 문화의 수용에도 매우 개방적이었지요.

메소포타미아의 문명을 처음 일으킨 이들은 수메르 인이었어요. 그들은 기원전 4000년에서 3200년경부터 메소포타미아 각지에 도시 국가를 세우기 시작했어요. 그들은 귀한 나무나 돌 대신에, 주위에서 흔히 볼 수 있는 진흙에 짚과 물을 섞어 흙벽돌을 만들어 집을 지었고 도시를 건설했어요. 또 진흙으로 만든 판에 갈대 끝으로 설형 문자를 써서 기록을 남기기도 했어요. 지금까지 밝혀진 바에 따르면 이것이 인류가 처음 사용한 문자예요. 문자의 사용, 이것은 역사 시대와 선사 시대를 구분하는 기준이에요. 따라서 수메르 인은 인류에게 '역사'를 선물한 민족인 셈이지요.

설형문자를 기록한 점토판
고대 오리엔트에서 가장 널리 사용된 문자 체계로, 숫자는 짧은 선이나 원을 반복하고, 사물은 그림으로 표현했다. 점토 위에 갈대나 금속으로 새겨 썼기 때문에 문자의 선이 쐐기 모양으로 보인다.

제4장
페르시아, 소아시아를 장악하다

3장에서는 키루스가 어떻게 자라나고 메디아를 정복하고 왕이 되었는지 살펴봤고

이번 장에서는 키루스와 크로이소스 왕, 즉 페르시아와 리디아의 대결을 이야기해 볼까 해.

리디아는 당시 소아시아의 최강국이었고
리디아
소아시아

페르시아는 새로이 떠오르는 태양이었지.
페르 시아

둘의 한판 대결은 피할 수 없는 운명이었어.

리디아의 왕은 크로이소스였어.

리디아는 소아시아에 터전을 잡은 나라인데
소아시아

크로이소스와 그 아버지 왕대에 소아시아의 나머지 대부분 지역을 정복하여

자신의 지배 하에 두었어.

그 지역의 그리스 식민 도시들도 물론 예외는 아니었지.
모든 걸 정복하는 거야!

섬에 있는 일부 도시들만 빼고.
올 테면 와 봐!

잘 나가던 나라가 그렇듯 리디아도 당대 수많은 현자들이 찾아왔어.
인생은, 세상은, 행복은….

그 중에는 아테네 법률을 제정한 솔론도 있었어.
만인의 평등을 위해 법을….

크로이소스도 그의 명성을 익히 들은지라
어서 오시오, 솔론!

크게 환영하여 잘 대접하고

며칠 후 시종에게 명령하여
왕께서 부르십니다.

그를 보물 창고로 데려가게 했어.

그리고는 화려한 보물을 맘껏 구경시켜 줬지.

왕은 솔론에게 물었어.
당신은 지식을 찾아 세계를 돌아다닌다고 들었소.

그대가 지금까지 본 사람 중에 누가 가장 행복한 것 같소?

당연 크로이소스는 자신일 거라 생각하고 그 대답을 기대했겠지?

하지만 솔론은 그의 기대와는 달리
비
비
왜 몸을 꼬아?

아테네의 탈로스요!
당연!

대답을 들은 크로이소스는 기분이 몹시 상했어.
왜 그리 생각하오?

그는 번영한 나라에 태어나 훌륭한 자식을 두었고

또 그자식에게서 아이들이 태어나 뭐 하나 부족함 없이 잘 살았거든요!

생활도 유복했고
이 정도면 살 만하지 뭐….

죽음도 명예로웠죠.
노병은 살아있다

전쟁 중인 아테네를 구원하러 가 적을 물리친 후 훌륭하게 전사했으니까요.
뚝

아테네는 국비를 들여 그가 전사한 곳에 그를 묻고
텔로스 여기 잠들다!

그의 명예를 기렸습니다.
뿌우웃웃웃-
뿌우-

그럼 두 번째는 누구요?

클레오비스와 비톤* 형제일 겁니다!

기대한 답이 나오지 않자 크로이소스는 고함을 질렀지.

내가 그럼 그러한 서민들에게도 미치지 못한 존재란 말이오?

*클레오비스와 비톤 – 그리스 신화에 나오는 인물들. 헤라 신전의 여사제 키디페의 아들들로, 용감하고 효심이 지극했다.

그대는 나의 행복을 아무 가치가 없다고 생각하는가?
흥

인간의 삶이란 온갖 풍상을 다 겪는 법입니다.

아무리 부자라도 끝까지 행복하게 일생을 마칠 수 있는 행운이 없다면

돈을 버려야 하는데….

그날그날 벌어먹고 사는 자보다 행복하다고 말할 수 있을까요?
1개 100원

가능하면 부족한 것이 적은 상태로 살다가 훌륭한 죽음을 맞이하는 사람이 행복한 사람이지요. 사람은 결말이 중요합니다.

솔론이 돌아간 후
흥! 현자는 무슨 얼어죽을….

크로이소스에게 아주 큰일이 생겼어. 그의 귀한 아들이 사냥터에 갔다가

자신이 살려 줬던 이의 손에 죽은 거야.
멧돼지가 아니다!

크로이소스는 자식을 잃고 2년간 깊은 슬픔에 잠겨 있었어.
엉
아들아~
엉

어쨌거나 헤로도토스는 솔론의 말을 빌어
교훈
후세의 사람들에게 교훈을 주고 싶었나 봐.
지혜의 샘

헤로도토스는 그가 세상에서 제일 행복하다고 자만했기 때문에 천벌을 받았다고 썼어.
자만금물

자신의 부와 행운 앞에서 겸손해할 것! 우리도 이 교훈은 생각하자고.
황금 보기를 돌같이 하라!

크로이소스도 더이상 비탄에 잠겨 있을 수 없었어.
내 흘린 눈물 만큼이나 저놈은 땅을 넓혀 가는구나.
쇠주

키루스 왕의 등장 이후 페르시아가

나날이 세력이 커져 가고 있었으니까.
어~ 시원하다!

으윽~ 더러워! 더 커지기 전에 싹을 잘라야지.

그는 델포이 신전에 많은 보물들을 바치고

신탁*을 구했어.

그 결과 크로이소스가
페르시아에 쳐들어가면
대제국을 멸망시키게 될
것이며

그리스의 최강국을 동맹군으로
삼으라는 권고가 내려졌어.
최강
그리스
군이라?

*신탁 – 신이 사람을 매개자로 하여 그의 뜻을 나타내거나 인간의 물음에 대답하는 일.

그는 그리스
상황을 살폈지.
그리스

그중 아테네와 스파르타가 가장
강하다는 걸 알았어.
스파르타
아테네

당시 아테네는 페이시스트라토스
라는 독재자의 지배 아래 있었고
독재자

스파르타는 리쿠르고스라는
사람의 지도 아래 새로운 법률을
만들고
法

군대와 정치 제도를 고친 다음
군대개혁

비옥한 땅과 많은 인구를
기반으로 세력을 뻗어 나가고
있었지.

펠로폰네소스의 대부분 지역이
스파르타 수중에 있을 정도였으니까.

크로이소스가 어느 나라와 동맹을
맺을지는 뻔했지.
동맹
체결
스파르타
리디아

스파르타도 크로이소스가 받은
신탁을 들어서 알고 있었고

자기들이 아폴론 상을 만들 때
크로이소스에게 신세진 일도
있었고
리디아
스파르타

그리스에서 제일 강한 나라라는 부추김에
기분도 좋아져 승낙을 했지.

준비를 마친 크로이소스가
페르시아로 진격할 준비를
하고 있을 때 한 신하가
찾아왔어.

전하가 정복하려는
땅이 어떤 곳인지
생각해 보셨습니까?

척박하고 정말 쓸모없는
땅입니다.

옷도 없어 가죽을 입고 있고,
포도주가 있나 무화과가 있나
맛난 것 하나 나지 않는
땅입니다.

이겨 봤자 뭐 하나
얻을 게 없어요.

만의 하나 패배라도 한다면 전하께서 얼마나
많은 것을 잃어버리게 될지 생각해 보세요.

저는 페르시아 인들이 우리
리디아를 공격할 마음을
먹지 않게 해 주시는 신께
감사하고 있습니다.

하지만 크로이소스는 들은 척도 안 했어.
집이나
잘 봐!

키루스가 외조부인 아스티아게스를 공격하여 메디아를 정복하고
페르시아가 그 지역의 왕초로 자리를 잡았다는 얘기는 3장에서 했었지?
메디아
나다!

그 아스티아게스가 크로이소스의 매제였어.
여동생 잘 부탁하네.

그러니 크로이소스에게 페르시아의 공격은 위협의 싹을 미리 잘라 막고자 함도 있지만

매제의 원수를 갚는다는 의미도 있었어.

드디어 리디아와 페르시아 대군이 맞붙었어.

한 차례 격렬한 전투가 벌어지고 양 군 모두 많은 전사자를 냈지만

승패는 가려지지 않았어.
무승부

크로이소스는 페르시아 군병력이 생각보다 많은 것을 보고 승산이 없다 싶었지.

다음을 기약하기로 하고
살금..
살금

재빨리 군대를 돌려 사르디스로 철수했어.
퇴각

동맹 관계에 있던 스파르타와 이집트 등에 지원을 요청하고 생각했어.
전령
지원 요청

겨울이 가고 내년 봄에 동맹군과 나의 군대를 이끌고 총공격을 가해 전쟁을 끝내야지!

사르디스로 돌아오자 용병 부대는 모두 휴가를 주어 해산했어.

한편 크로이소스가 갑자기 철수하자,

영리한 키루스는 크로이소스의
속셈을 바로 알아챘어.

그는 리디아 군이 다시 집결하기
전에 먼저 사르디스로
쳐들어가는 게 최우선이라
생각했어.

페르시아 군은 신속히 움직였지.

전혀 상상도 못 하고 있던
크로이소스는 혼비백산했겠지?

하지만 리디아 군은 당시
아시아에서 최고의 군대였어.

그들은 주로 말을
타고 긴 창을
휘두르며 적진을
누볐는데

특히 말타는 기술은
최고였어.

사르디스 앞의 드넓은
평야에서 두 군대는
마주 섰어.
페르시아
리디아

키루스는 리디아의 기마대가 전열을
갖춘 것을 보고 마음을 졸였지.

하르파고스가 작전을 짰어.

알지? 오늘의 키루스를 있게
한 일등공신!
난
만만
하지
않아!
슥
슥

식량과 무기 등을 싣고 온 낙타의 등 위에 짐을 모두 내리게 하고

기병 장비를 갖춘 병사들을 타게 했어.

낙타 부대를 만든 거지.

낙타 부대를 전면에 내세우고 그 뒤는 보병, 다시 그 뒤는 기마대를 배치시켰어.
낙타부대
보병
기마대
전쟁은 전략이야!

말이 낙타를 무서워해서 그 모습을 보거나 냄새를 맡기만 해도 덜덜 떤다는 점을 이용한 거야.

전투가 시작되자
끼릭

그 위력적인 리디아의 기병대는 제대로 힘을 못 썼어.

말들이 낙타 냄새를 맡고는 방향을 돌려 정신없이 도망가 버린 거지.

용감한 리디아 병사들은 사태를 파악하고 말에서 뛰어내려 싸우기 시작했어.

하지만 주력 종목이 아니니 점차 밀릴 수밖에.

결국 리디아군은 사르디스
성 안으로 쫓겨 들어갔고

페르시아 군은 성을 에워싸고 공격을
퍼부었지.

크로이소스는
급하게
동맹국에게
도움을
요청했어.
전령

하루빨리 도우러
와 달라고.

특히 스파르타에게 기대를
했지.

그런데 그때 스파르타는 이웃 나라와
전쟁을 치르고 있었어.

하지만 의리의 스파르타는 그 와중에
구원병을 보내려고 출병 준비를 끝마쳤지.

바로 그때 보고가 들어왔어.

사르디스가 함락되고 크로이소스가
잡혔다고···.

크로이소스가 포위를 당한 지
사르디스 성

14일째가 되던 날
14일···

키루스는 제일 먼저 성벽에 오르는
자에게 큰 상을 주겠다는 포고령을
내렸어.

많은 병사들이
시도했지만
실패하고
모두 단념하고
있을 때

한 병사가 힘들게
성공했어.

깎아지르는 듯한 자연 절벽으로
되어 있어서

경비병조차 배치되어 있지 않은
곳으로 기어서 올라갔던 거야.

완전 암벽 등반이었던 셈이었지.

리디아 측도 누가 그리로
올라올 거라 생각이나 했겠어?

그 병사는 전날 한 리디아 병사가 떨어뜨린
투구를 주워 올라가는 것을 보고
따라한 거였지.

그가 절벽으로 기어
올라가는 것을 본
다른 페르시아 군도
뒤를 따르고

꽤 많은 병사들이 성공하여

결국 사르디스 성은
함락되었어.
페르시아

여기에서도 어김없이 기가 막히게
들어맞는 전조와
신탁이 등장해.
내일
비가 오려나~.

크로이소스가 봄철 대공격을
결심하고 있을 무렵

사르디스 외곽에 뱀이
들끓는 일이 있었어.
저것들이~.
쪼옥~

그러자 목장에서 풀을 뜯던 말들이
쫓아가 먹어 치웠지.
꺼억

이를 이상하게 생각한
크로이소스는 점을 치러
사자를 보냈는데

사자가 돌아오는 중에 크로이소스가
잡혀 버렸어.
전범
점괘

점괘가 궁금하다고?
점괘

뱀은 대지의 아들,
말은 외부의
적이라나~.
외부
대지

한마디로 외국 군대가 와서 그 땅에
사는 자들을 정복한다는 뜻이래.
굴러온 돌
박힌 돌

또 크로이소스에겐 아들이 하나 더 있었어.

지난 번 사냥터에서
죽은 아들 말고.
지금도
그놈만
생각하면!

그런데 그 아들은 말을 하지 못했어.

크로이소스는 그 아들에게
뭐든 다 해 주고
싶었겠지.
자!
새로 산
보청기야.

아들에 대한 신탁을 받기 위해
델포이로 사자를 보냈는데
전령

무녀가 이렇게 말했대.

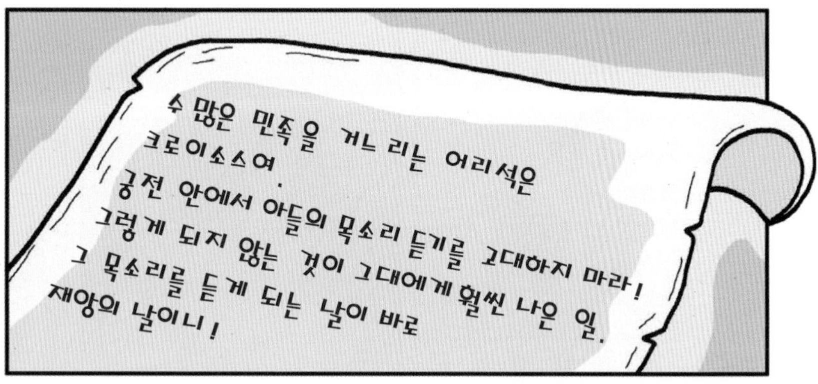
수많은 민족을 거느리는 어리석은
크로이소스여.
궁전 안에서 아들의 목소리 듣기를 고대하지 마라!
그렇게 되지 않는 것이 그대에게 훨씬 나은 일.
그 목소리를 듣게 되는 날이 바로
재앙의 날이니!

이 신탁은 어떻게 현실이 되었을까?

성이 점령되었을 때 페르시아 병사
하나가 크로이소스를 죽이려고 가까이
다가왔어.

그런데 그때!

그 벙어리 아들이 그것을 보고 비명을 질렀어.

크로이소스 왕을
죽이지 마!

그때부터 아들은 말을 할 수
있게 되었다나 봐.
오…
아… 빠!

페르시아 군은 크로이소스를 잡자
키루스 왕에게 데려갔어.

키루스는 장작으로 산을 쌓은 후

크로이소스의 두 발을
사슬로 묶고
철컹

다른 리디아 인들과 함께 그 위로 올라가게 했어.

그리고는 장작에 불을 붙였지!

불이 붙은 장작더미 위에 선 비운의 크로이소스!

죽음에 직면하여 그는 문득 솔론의 말이 생각났어.

인간은 살아 있는 한 그 누구도 행복하다고 할 수 없다.

즉 결말을 봐야 모든 걸 알 수 있다던 그 말….

크로이소스는 슬프게 솔론의 이름을 세 번 불렀어.
솔론
솔론
솔론
?

키루스는 그가 누구냐고 물었지.
누군데 그리 슬피 부르는가?

그 사람 말을 들을 수만 있다면 천만금을 주어도 아깝지 않은 인물이지요.

그는 크로이소스에게 자초지종을 들려줬어.

그 사이에 장작불은 가장자리부터 타올랐어!

그때 키루스의 마음이 움직였지.

일찍이 자신 못지않은 부귀영화를 누리던
인간을 산 채로 불태워 죽이려니

인생의 덧없음이 새삼 느껴졌을
것이고

그 죄값을 받게 될까 봐
두렵기도 했던 거야.

불을 끄고 그들을 끌어내리라고 명령했어.
당장
불을 꺼라!

하지만 불길이
너무 거셌어.

그때 크로이소스가 눈물을
흘리면서 아폴론의 이름을
소리 높여 불렀어.
신이시여!

제가 바친 봉납물이 혹 마음에 들었다면
구원의 손길을 베푸소서!

그러자 맑고 바람 한 점 없던
하늘이

갑자기 거센 바람을
일으키며 비를 내린 거야.

키루스는 그제서야 크로이소스가
신의 사랑을 받는

훌륭한 인물임을 알게 되었지.

장작 위에서 내려온
크로이소스에게 물었어.

도대체 그대를 부추겨 전쟁을
일으키도록 한 자가 누구요?

제가 이런 일을 저지른
것은 하나는 왕의 행운
때문이고

또 하나는 저의 불운
때문이지만

실은 저 그리스 신이 제가 출병하도록
부추겼기 때문입니다.

평화보다 전쟁을 택하는 어리
석은 이가 어디 있겠습니까?
전쟁
평화

이게 다 신의 뜻 아니겠습니까?
잘못되면
조상탓이라
더니….

그 통찰력과 말발에 감탄한 키루스는

그의 포박을 풀고 가까이 두고
정중히 모셨지.

그때 크로이소스 눈에 페르시아
군들에게 파괴되고

약탈당하는
자신의 수도,
사르디스가 보였어.

저자들은 무엇을
저리 열심히 하나요?

그대의 도시를 약탈하고
그대의 재물을 빼앗고 있소.

이젠 제것이
아니지요.

저자들이 지금 빼앗고 있는
것은 모두 왕의 것입니다.

키루스가 이후 크로이소스를
어떻게 대했을지 짐작이 가지?
어화~ 둥둥~ 내사랑

그를 고문으로 삼아
수시로 의논을
했어.
회의중

물론 죽음의 문턱에서 살아 돌아온
크로이소스는 늘 좋은
충언을 잊지 않았지.

헤로도토스의 《역사》에는
이렇게 초자연적인 현상도
자주 등장한단다.

또 신탁과 전조 같은 것이 수시로
등장하지.
꿈해몽
대박집
이 곳이
그 유명한….

하나같이 기가 막히게
들어맞잖아.

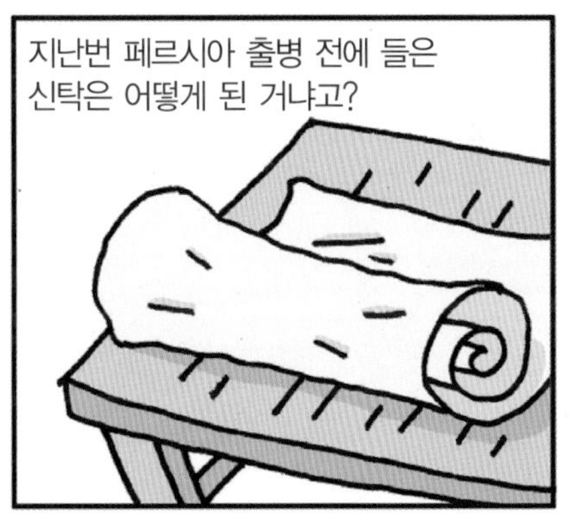
지난번 페르시아 출병 전에 들은
신탁은 어떻게 된 거냐고?

크로이소스가 페르시아로 출병하면
대제국을 멸망시키게 될 거라는
신탁이었지?

열 받은 그도 사자를 델포이
신전으로 보내 따져 물었대.
이거, 핸드폰
이라는 건데
받아 보세요.

많은 재물을 봉납했는데,
어떻게 그럴 수가 있소?

군대를 일으킨 것도 신탁에 물었더니
출병하라고 부추겼지 않았소?

그리스 신들은 은혜를 쉽게도
잊어버리는구려!

시방
뭐라 카노?
신을
모욕해?

그대가 조금만 더 현명했더라면
사자를 다시 보내

신이 말하는 대제국이 자신의 나라를
가리키는지 아니면 키루스의 나라를
가리키는지 물어봤어야지.
대제국

그야말로 크로이소스는
뒤통수를 맞은
거야!

헤로도토스의 《역사》에 이렇게 현실로 이루어지는 신탁,
전조, 꿈이 수시로 나타나는 이유가 뭘까?
현실
신탁

설마 복권 번호를 가르쳐 주러
나타나지는 않을 거고.
아~
로또!

헤로도토스는 기본적으로 신의 뜻이
신탁이나 꿈, 징조를 통해 인간에게
전달된다고 믿었던 것 같아.
꿈
전조

그래서 그의 위대한 업적에도
불구하고
업
적

후세의 역사가들은 그를 일관성이 부족하고
신들이 나왔다 인간이 나왔다 그래!
나도 그 점이 맘에 안 들어!
역사

애매모호하며
역사적 시각이 많이 배제된 느낌이랄까?
역사

비과학적이고
신이시여, 비를 내려 주소서.

비합리적인 이야기꾼에 불과하다고
만담

빈정거리기도 해.
나도 그 정도는 해.

하지만 그는 구체적 사건을 서술할 때는

항상 인간의 의지나 활동이
치이이.

어떻게 역사의 물줄기를 바꾸는지에 대해 주목하고 있어.

페르시아 군의 낙타 공격, 때를 놓치지 않는 키루스의 사르디스 진격이 그 예야.

이것이 헤로도토스가 역사를 '신의 역사'에서 '인간의 역사'로 바꾸었다고 하는 이유야.
신의 역사
인간의 역사

자! 다음 여행지는 어디일까? 기대하시라!

주인이 자주 바뀌었던 메소포타미아 지역

함무라비 법전
기원전 1750년 무렵에 바빌로니아의 함무라비 왕이 제정한, 세계에서 가장 오래된 성문법. 282조의 법조문이 원주형 현무암에 설형 문자로 새겨져 있다.

수메르 인들은 메소포타미아 동쪽의 산악 지대에 살다가, 기원전 3500년경 메소포타미아로 이동했어요. 이들에 의해 처음 메소포타미아 문명이 일어났지요.

수메르 인들에 이어 바빌로니아 인들이 메소포타미아의 주인이 되었어요. 이들은 기원전 1800년경 함무라비 왕 때 메소포타미아를 통일하고 현재의 시리아와 팔레스타인에 이르는 지역까지 영역을 넓혔어요. 함무라비 왕은 중앙 집권 제도를 확립하고 도로를 정비하였으며 상업을 발달시켰어요. 특히 법률을 정비하여 세계에서 가장 오래된 성문법전으로 불리는 함무라비 법전을 만들었어요. 함무라비 법전은 '눈에는 눈, 이에는 이'의 복수법적인 성격을 갖고 있었고, 처벌에는 계급에 따라 차별이 있었어요.

기원전 1600년경 히타이트 인들이 바빌로니아를 지배하게 되었어요. 그때까지 메소포타미아에서는 청동기를 사용하고 있었는데, 이들이 철기를 가지고 나타나서 새로운 메소포타미아의 주인이 되었지요. 그 뒤 이 지역에서는 오랫동안 분열과 혼란이 계속되었어요.

기원전 7세기에 접어들어, 전차와 기병으로 무장한 아시리아 인이 메소포타미아에 등장했어요. 아시리아 군대는 수도 많고 훈련이 잘 되어 있어서 싸움에는 적이 없을 정도였어요. 결국 이들은 메소포타미아를 넘어 이집트까지 세력을 뻗어 오리엔트 세계를 통일했어요. 이들은 가는 곳마다 많은 도시를 파괴하고 약탈을 일삼았어요. 저항하는 도시에서는 남녀 가릴 것 없이 학살하였고, 모든 사람을 포로로 잡아 노예로

삼기도 했어요. 정복지에는 가혹한 세금을 부과하고 고유의 종교도 허용하지 않았어요. 이들의 가혹한 지배는 피정복민의 저항을 불러와 전국에서 끊임없이 반란이 일어났어요. 나날이 쇠퇴하던 아시리아는 기원전 612년, 결국 신바빌로니아와 메디아의 공격을 받고 수도가 함락되면서 역사의 무대에서 사라졌지요.

다음으로 오리엔트를 지배한 것은 페르시아였어요. 이란 고원의 남서부에서 일어난 페르시아는 메디아의 지배에서 벗어나 오히려 메디아를 굴복시키고, 소아시아의 강국 리디아를 병합하고, 기원전 525년 드디어 이집트까지 정복함으로써 다시 오리엔트를 통일했어요. 그러나 페르시아는 기원전 330년 마케도니아의 알렉산드로스가 이끄는 원정군에게 멸망하고 말았어요.

페르시아 제국 이후의 역사를 조금만 더 살펴볼까요? 기원전 3세기 중반에 페르시아의 후예들은 현재의 이란 북동부에 파르티아라는 나라를 건설했어요. 파르티아는 메소포타미아의 지배권을 두고 로마 제국과 격돌하게 되는데, 원래 유목 민족이었던 파르티아는 기병이 매우 강해서, 전쟁터에서 부딪친 대제국 로마의 중무장 보병조차도 이들을 몹시 두려워했어요. 이들은 로마 제국과 중국의 한나라 사이의 중간에 위치하고 있는 지리적인 이점을 이용해 중계 무역으로도 큰 이익을 얻었지요.

3세기경 파르티아를 무너뜨리고 새로운 주인이 된 나라는 사산조 페르시아였어요. 이들은 조로아스터교를 국교로 삼았어요. 그러나 비잔티움 제국과의 전쟁에서 패배한 후 쇠퇴의 길을 걷다가 7세기경 이슬람 세력의 침입으로 멸망하고 말았어요.

제5장 페르시아, 마침내 오리엔트를 통일하다

이번 장에서는 키루스와 그의 아들 캄비세스가 나머지 서아시아 지역을 정복하고
잘 봐 두거라! 앞으로 네가 해야 할 일이다!

아시아를 넘어
아시아

아프리카의 이집트까지 세력을 뻗치게 되는 과정을 살펴볼 거야.

이로써 페르시아는 마침내 현재의 서남아시아 일대와
흑해
카스피 해
페르시아 영역

북부 아프리카의 이집트에 이르기까지 오리엔트 전역을 통일하고 모두 자신의 세력권 안에 두게 되지.
이게 다 우리의 영토다!

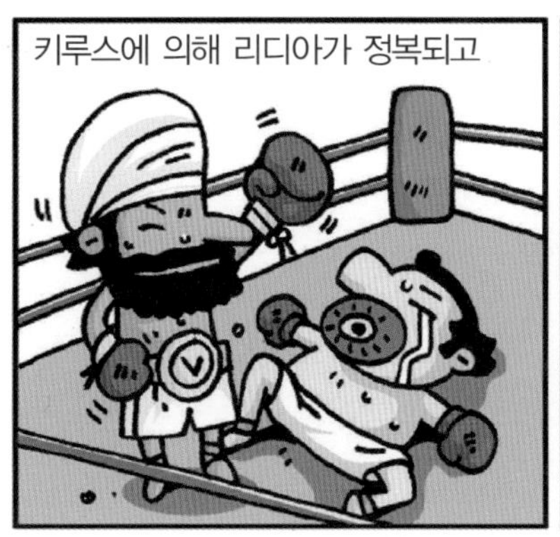
키루스에 의해 리디아가 정복되고

리디아의 지배를 받고 있던 이오니아 지방의
도시들은 모두 페르시아 수중으로 들어갔어.
페르시아
이오니아

잠깐 잡음이 있었지만
하르파고스의 활약이 컸지.
해결사
걸리면
죽어!

한편 키루스는
동쪽 아시아를
하나하나
평정하고 있었어.
동아시아

최초로 오리엔트를 통일했던
대제국 아시리아도
아시리아

그 희생물이 되었지.

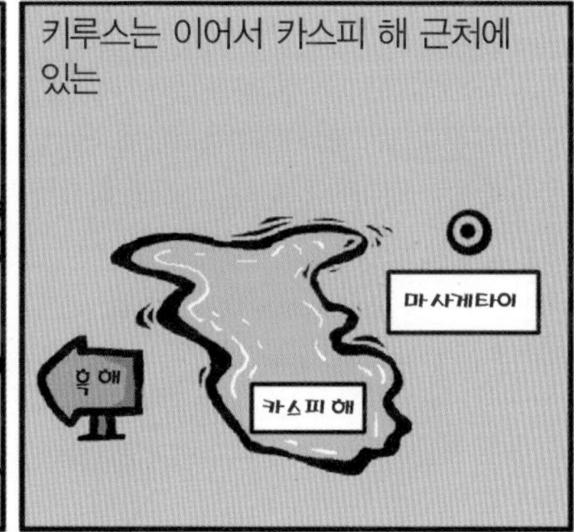
키루스는 이어서 카스피 해 근처에
있는
마사게타이
흑해
카스피 해

마사게타이
원정에 나섰어.
원정

이 민족은 인구도 많고 아주 사나운
민족이었나 봐.

마사게타이는 토미리스라는 여왕이
통치하고
있었어.
최초의
여왕은 내가
아닐까?

마사게타이로 가기 위해서는
강을 지나야 했는데
이걸 어떻게
건너지?

키루스가 그 강을 건너기 위해 병사들을 동원하여
배로 다리를 놓고 있을 때,

토미리스의 사자가 왔어.
전령

여왕의 뜻을
살피소서!

웬만하면
그만 하시죠? 그냥
그대는 그대 영토를

나는 내 나라를
다스리는 게
좋지 않겠소?
호호

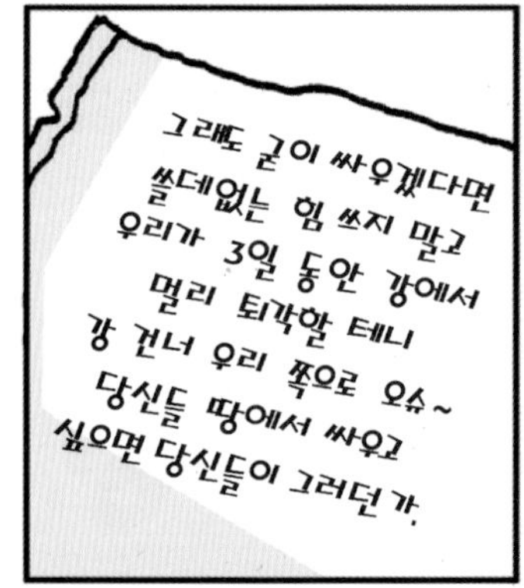
그래도 굳이 싸우겠다면
쓸데없는 힘 쓰지 말고
우리가 3일 동안 강에서
멀리 퇴각할 테니
강 건너 우리 쪽으로 오슈~
당신들 땅에서 싸우고
싶으면 당신들이 그러던 가.

키루스는 분노했지.
이런
요망한~.

그 즉시 키루스는 주요 지휘관 회의를
소집했어.

대부분 자기들 땅으로 끌어들여
싸우는 게 좋겠다는 의견이었어.
힘들게
갈 필요가
있습니까?

하지만 크로이소스의
생각은 달랐어.
잠~깐!

크로이소스가 죽을 고비를 넘기고
키루스의 고문이 되었다는 이야기는
4장에서 했지?
활
활

그건 좋은
생각이
아닙니다!

인간의 운명이란 수레바퀴 같은
것이어서 돌고 도는 법

같은 사람에게
행운이 계속
오지는
않죠.
행운
뚝

만약 적을 국내에
들어오게 하면
위험합니다.

만일 패하기라도 하면
뻥

전하는 패전과 더불어
전 제국을 잃게 됩니다.

승리한 적군이 내친김에 그냥
물러가지 않을 테니까요.

승리를 하더라도 그 나라에서 싸워
적군을 쳐부수고
오~역시!!

도망가는 것을
쫓는 것과
비교하면 큰 손해지요.

게다가 위대한 키루스 님께서

일개 부녀자에게 굴복하여 퇴각한다는 것은 치욕스럽고
도저히 참을 수 없는 일입니다.
거기 서라!
키루스~.

이어서 크로이소스는 자신이
생각한 작전을 설명했어.
작 전

일단 강을 건너서 적군이 있는 곳
근처까지 진군한 다음

진수성찬을 차려 놓는 겁니다.

고기와 독한 술도 항아리에 가득 담고
온갖 요리를 준비한 다음

가장 약한 부대만 남기고
철수하는 겁니다.
너희들도 필요한 곳이 있네

한 번도 그런 호사스런 생활을
못 해 본 마사게타이 인들이

이걸 보면 정신없이
달려들 겁니다.

왕은 크로이소스의 말을 따랐어.
빙~고

토미리스에겐 자기 편에서 강을
건너겠다고 통고했지.
미련한 키루스….

뭔가 예감이 이상했는지 출정에 앞서
키루스는

아들 캄비세스를 불렀어.
혹시 작전이 성공하지 못할 경우엔

크로이소스를 예의와 우의로
잘 돌봐 달라는 부탁을 하고
둘을 미리 페르시아로
돌려보냈어.

크로이소스의 작전은 딱 맞아 떨어졌어.
끼~릭

키루스가 일부러 남긴 약한 부대를 공격하여 의기양양해 하던 마사게타이 군들은

진수성찬을 보자 배불리 먹고 마신 뒤 술에 취해 잠들고 말았어.

그 틈에 현장을 급습한 페르시아 군들은

많은 수의 마사게타이 군을 죽이고 포로로 잡았지.

그때 사로잡힌 지휘관 중에 여왕의 아들이 있었어.

여왕은 다시 사자를 보냈지.
이미 늦었어!

피에 굶주린 키루스여, 너무 우쭐거리지 마라!

그대는 비겁하게 포도주라는 마약을 가지고 속임수를 써 내 아들을 이긴 것이니

당당히 힘과 힘을 겨루어 승리한 것은 아니다!

더 이상 죄를 묻지 않을 테니 내 자식을 돌려 보내고 이 땅을 떠나라!

만약 그렇게 하지 않는다면 신께 맹세코 피에 굶주린 그대에게

피를 포식하게 해 주겠노라.
포식? 좋~지!

한편 여왕의 아들은 술에서 깨어나 자신의 처지를 깨닫고 자결하고 말았어.

결국 두 군대는 전 병력을 집결시켜 격렬한 전투를 벌였어.

이제 운명의 수레바퀴는 더 이상 키루스의 편이 아니었던 거야.
운명

페르시아 군은 대부분 죽고

키루스 자신도 전사하고 말았지.

토미리스는 키루스의 머리를 잘라 사람 피로 가득 채운 주머니에 집어 넣고 말했어.

마셔라, 그토록 좋아하던 피를!

우와! 정말 무서운 여자지?

루벤스라는 화가가 이 장면을 〈토미리스와 키루스〉라는 그림으로 그렸지.

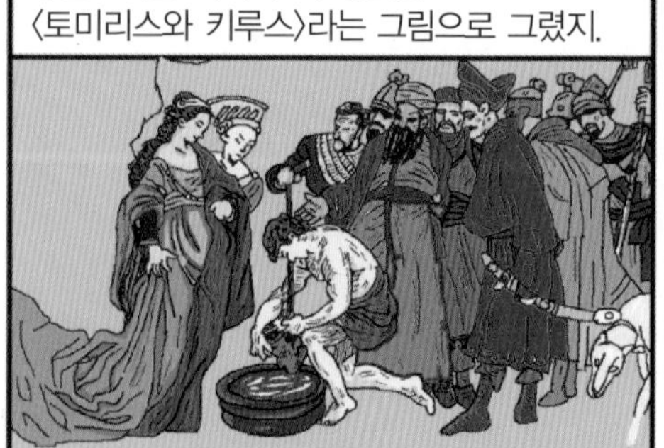

키루스가 죽은 후 그의 아들 캄비세스가 왕위를 계승했어.
이제부터는 나의 시대야!
임명장

이어서 캄비세스는 이집트 원정 길에 나섰어.
원정

여기서 잠깐! 여행을 멈추고
헤로도토스의 《역사》를 들여다
보자고!

헤로도토스는 《역사》에서 이집트의
지형, 기후, 종교, 생활양식, 역사에
이르기까지 방대한 분량의 서술을
남겼어.

이것만 가지고도 책 한 권은
족히 될 정도로….

그래서 헤로도토스의 《역사》는
단순한 역사책이 아니라

"다양한 인간적 삶의 보고이자 여러 민족의 생활과
풍습에 대한 문화 인류적 보고서"라는 말이
나온 거야.

덕분에 오늘 우리는 고대 이집트를
아주 생생하게 만날 수 있게 되었지.

헤로도토스가 이집트에서 들었다는
얘기 중 재미있는 것 하나 들려줄까?

트로이 전쟁에 얽힌 이야기
1장에서 잠깐
얘기했었지?

호메로스의 서사시 《일리아스》 하면
떠오를 거야.
일리아스

호메로스는 《일리아스》에서
트로이 전쟁에 대해 이렇게
이야기해.
일리아스

분쟁의 여신 에리스가

'가장 아름다운 여신에게' 라는 문구가 새겨진 황금 사과를 던져 놓았어.
가장 아름다운 여신에게…

이 사과를 두고 헤라와 아프로디테, 아테나가 서로 다투다가

트로이의 왕자 파리스에게 심판을 내리게 하지.

파리스는 세상에서 제일 아름다운 여인을 아내로 맞게 해 주겠다고 약속한 아프로디테에게 사과를 주었어.

결국 파리스는 세상에서 가장 아름다운 여인

스파르타의 왕비 헬레네를 유혹해 트로이로 함께 도망갔지.

아내를 빼앗긴 스파르타의 왕 메넬라오스는

그리스 연합군을 이끌고 트로이 원정을 나섰어.
트로이

숱한 영웅들과 신들이 얽혀 10년간이나 계속되던 전쟁은 결국 오디세우스가 제안한 트로이 목마 작전을 성공시킨 그리스 연합군의 승리로 끝났어.

우리가 흔히 알고 있는 트로이 전쟁 이야기는 바로 호메로스의 《일리아스》에 나오는 내용이야.
일리아스

그런데
헤로도토스가
직접 이집트에
가서 조사해서
알게 된 내용은
다음과 같았어.

파리스는 스파르타에서 헬레네를
강제로 납치하여
보쌈

트로이로 가던 중 배가 풍랑에
휩쓸려

이집트 바닷가에
도착하지.
이집트
불시착

그때 파리스의 노예들이 이집트
신전으로 도망을 쳐서 파리스가 한
짓을 모두 고하고

결국 바다의 예언자
프로테우스에게 전해졌어.

프로테우스는 헬레네와
보물들은 주인이 찾으러
올 때까지 이집트에 놔 두고
임시보관

파리스는 3일 안에
이집트를 떠나라고
명령했어.

한편 메넬라오스와 그리스 군은
트로이에 도착해 파리스가 가져간
보물들과 헬레네를 내놓으라고 했지.
당장
내놓아라!

하지만 트로이 인들은 트로이에는 그것들이
분명히 없으며 이집트로 가 보라고 말했어.
여긴
없다고!

트로이 인들이 자기들을
놀리고 있다고 생각한
그리스 인들은

트로이를
공격하여
함락했지.

하지만 성안 어디에서도 헬레네의 모습은 보이지 않았고
어디다 숨겼어?

여전히 같은 이야기를 듣게 되자 마침내 사태를 깨닫고 이집트로 향했어.
여기가 아닌가?

메넬라오스는 이집트에서 헬레네와 보물을 돌려받고 지극한 대우를 받았어.

그런데 그리스로 떠나기 전에 날씨가 나빠져 출발이 늦춰지자

하루빨리 그리스로 돌아가고 싶은 마음에

지독한 짓을 하게 되지.

그곳 주민들의 아이 둘을 잡아 제물로 바쳤던 거야.

은혜를 원수로 갚은 거지.
도끼자루가 없다기에 줬더니만

그는 추격을 피해 얼른 배를 타고 리디아로 달아났어.

이야기가 너무 다르지?

헤로도토스는 다음과 같은 근거를 대며 자신이 조사한 바가 타당하리라 확신하고 있어.
!!

트로이의 왕이나 가족들이 파리스를 헬레네와 살게 하기 위해 자신과 나라까지 위험에 빠뜨릴 정도로 머리가 돌아버리지는 않았을걸?
당장 돌려보내!

설사 처음에는 그렇다고 하더라도, 싸움이 시작되고 수많은 이들이 죽어 가고 나라가 위험한 지경에 이르러서는 당연히 돌려보내겠지.
트로이
쓱
쓱

또 파리스가 왕이었다면 몰라도 아직 아버지가 왕이었잖아.

그 뒤는 형인 헥토르가 계승하기로 되어 있는데
세자 책봉식

아버지와 헥토르가 파리스의 못된 짓을 용납했겠어?
더욱 쳐라! 완전 나라를 말아먹을 놈이다!
으악

더구나 그 짓 때문에 트로이 전 국민이 재난을 당하고 있었잖아.
트로이

결국 트로이는 헬레네를 되돌려 보낼래야 보낼 수 없는 처지였고
트로이

트로이 인들의 말을 그리스 인들이 믿지 않았기 때문에 전쟁이 일어난 거야.
전 쟁

어느 이야기가 더 그럴 듯하니?
헤로도토스
《역사》
호메로스
《일리아스》

확실히 호메로스의 이야기보다 헤로도토스의 이야기가 훨씬 현실성 있는 이야기지?
현장 체험이 밑받침해 주니까!

더구나 호메로스의 이야기를 사실로 받아들이고 있었던 당시의 그리스 인들에게
호메로스는 나의 신!

헤로도토스가 조목조목 근거를 들이대며 밝힌 사실들이

얼마나 큰 문화적 충격을 주었겠니?
문화

역사의 아버지답지?

자! 다시 캄비세스의 원정으로 돌아가서~
이집트 원정!

키루스의 아들 캄비세스는

이오니아 지방에 있었던 그리스 인 부대까지 포함하여
자신의 지배 하에 있는 여러 민족으로 구성된 연합군을 이끌고 이집트 원정에 나섰어.

당시 이집트의 왕은 프사메니토스였는데

그가 왕이 되고 나서 이집트에는 엄청난 천재지변이 일어났어.

바로 이집트의 테베에 비가 내린 거야.

테베는 고대 이집트에서 번성한 곳으로 파라오의 무덤들이 있어. 왕가의 계곡이라 불려지는 이곳엔 투탕카멘 왕의 무덤을 비롯한 룩소스 신전, 카르나크 신전 등이 있지.

비가 내리는 게 뭐 어때서?
싶겠지만

그 전에는 테베에 비가 내린 적이
없었거든.
아프리카에
눈이?

거기는 원래 비가 거의 오지 않는
사막이었으니까.

뭔가 또 심상치 않은 일이 벌어질
징조였겠지?
비가
올 것 같아!
더욱 튼튼하게
치자!

페르시아와 이집트 간의 전투에서
많은 전사자가 나왔고

결과는 이집트의 패배였어.
우리가
졌습니다!

헤로도토스는 전투가 벌어졌던
장소에 가 봤지.
백 번
듣느니
가서 보자.

그런데 《역사》에 이와
관련하여 재미있는 이야기가
실려 있어.
저것들은
다 뭐다냐!

이 전투에서 죽은 양쪽 군 전사자의 유골이
따로따로 쌓여져 있었는데

페르시아 인의 두개골은 너무
약해서 작은 충격에도 구멍이 날
정도였어.
톡!

하지만 이집트 인의 두개골은 돌로
내리쳐도 부서지지 않을 정도로
단단했지.

헤로도토스가 그 이유를 그곳
사람들에게 물었어.

그 이유는
?

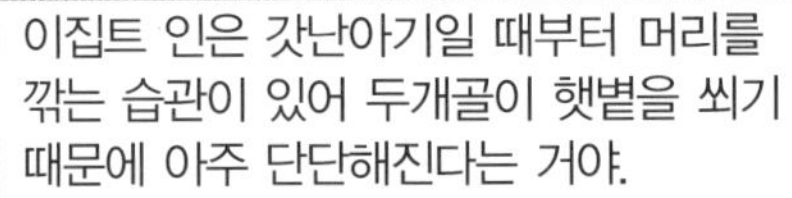
이집트 인은 갓난아기일 때부터 머리를
깎는 습관이 있어 두개골이 햇볕을 쐬기
때문에 아주 단단해진다는 거야.

그래서 이집트 인들의 머리는
잘 벗겨지지도 않아.

세계에서 이집트만큼
대머리가 드문 나라도 없대.

또 페르시아 인의
두개골이
약한 것은

페르시아 인들이
어려서부터 중절모를
써서 머리를 감추고
햇볕을 쐬지 않기
때문이라나!

친구들, 나중에 대머리 되기
싫으면 머리를 길게 기르지
말 것. 그리고 모자는 절대
금물! 믿거나
말거나!

이집트 왕 프사메니토스와 이집트의 고관들을
사로잡은 캄비세스는 그들에게 치욕을 주고자
교외로 끌고 가

무릎을 꿇게 했어.

그리고 왕의 딸과 고관들의
딸에게 노예의 복장을 입힌
후 물을 긷게 했지.

딸들이 울부짖으며 아버지들
앞으로 지나갔고

아버지들도 서럽고
가슴 아파 함께 울었지.

왕은 그저 묵묵히 고개를 숙이고
땅만 쳐다볼 뿐이었어.

이번에는 아들들을 끌고 오게 했어.

입에는 재갈을 물리고 목에
줄이 메어진
상태로

그들은 처형장으로 가고 있었던
거야.

역시 울부짖는 다른
이집트 인들과 달리

그는 또 묵묵히 땅만
바라보고 있었어.

잠시 후, 이집트에서 한때
잘나가던 사람으로

왕의 연회에도 자주
참석했으나

이제 거지가 되어 구걸하며 살아가고
있는 한 노인이 그 옆을 지나갔어.

이집트 왕이 그를 보자
큰 소리로 울부짖으며 슬퍼했지.
꺼억
꺼억~

캄비세스도 이상해서 그 이유를 물었어.
이봐?

딸이 학대받고 아들이 형장으로
끌려가도 탄식조차 하지 않던
그대가

아무 혈연 관계도 없는
거지를 보고 왜 그리
슬퍼하느뇨?

제 집안에 일어난 불행은 울며
슬퍼하기엔 너무나도
큰 불행이었습니다.

그러나 내 친구의 불운은 울어 주어도
좋으리라 생각했지요.

너무나 가슴 아프고 슬프면 눈물도 안
나온다는 것 경험한 적 없니?

없다면 정말 다행이야.
하지만 이해할 것 같아.

노예가 된 딸과 형장으로 끌려가는 아들을
바라봐야 하는 망국의 왕….

어찌 눈물 몇 방울로 그 처절한
슬픔이 표현될 수 있겠니?

어쨌거나 이 말은 캄비세스의 마음을
움직였나 봐.

이집트 왕을 자기 옆에서 편하게
여생을 보내게 배려했어.

물론 나중에
이집트 인들의
반란을
사주하다가
들통나 죽음을
당했지.

캄비세스는 원래 냉철함과는 거리가
있는

미치광이 같은 성격이었다고 해.
이 화살이 네
심장에 맞으면
내 말이 맞는 거다.
푸하하하!!

동맹국에 갔을 때도 그랬어. 무덤을 파고 시체를 꺼내 보질 않나

신전에 들어가 신상을 조롱하고 불태워 버리기도 했지.

그래 활활 타거라! 모든 걸 태워 버려라!

이에 대해 헤로도토스는 그가 정신 착란 상태였나 보다고 적고 있어.
제정신은 아니야!

그렇지 않고서야 어떻게 신앙과 관습에 관련된 것을 조롱할 수 있는가?

어느 나라 사람이건 세상 모든 관습 중에 가장 좋은 것을 선택하라면

누구나 틀림없이 자기 나라 관습을 선택할 것이다.
우리것이~ 좋은것이여~

헤로도토스는 멋진 사람이었던 것 같아.

그리스 문화에 대한 자부심이 대단했으면서도

다른 문화 역시 존중하고 차이를 인정하려는 태도
달팽이요리
멍멍탕
오늘 점심은 뭘로 먹을까?

좀 어려운 말로 문화의 상대성을 인정하는 태도야말로 존경받아 마땅하지.
이젠 어디로 갈까?

이집트는 나일 강의 선물

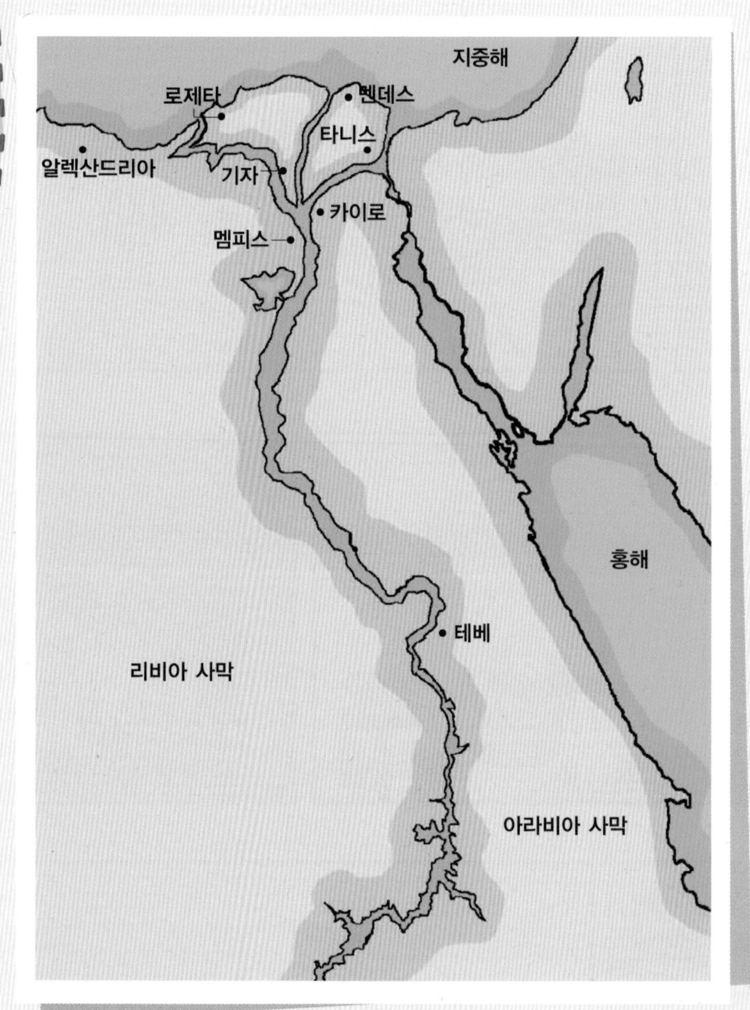

지중해
로제타
멘데스
타니스
알렉산드리아
기자
카이로
멤피스
홍해
테베
리비아 사막
아라비아 사막

세계에서 제일 긴 강인 나일 강은 적도 가까이에 있는 빅토리아 호수에서 시작하여 긴 사하라 사막을 지나 장장 6,671킬로미터를 흘러 지중해에 도착합니다. 1년 내내 비가 거의 내리지 않는 곳, 풀 한 포기 자랄 수 없는 사막에서 나일 강은 축복이었어요. 이 지역의 사람들과 동식물들은 나일 강에 기대어 물을 얻고 생명을 이어갔지요.

나일 강은 상류로부터 기름진 흙을 운반해 와 하류에 비옥한 삼각주를 만들어 놓았습니다. 기후도 따뜻한 나일 삼각주는 한마디로 풍요의 땅이었어요. 나일 강은 정확하게 예측할 수 있을 정도로 주기적으로 범람했어요. 나일 강이 범람하여 상류로부터 실어온 기름진 흙을 강 주변에 흩뿌려 놓고 나면 사람들은 밭을 갈아 씨를 뿌렸어요.

나일강 삼각주
오늘날 카이로 북쪽에 여러 개의 나일 강 지류를 중심으로 부채 모양으로 펼쳐져 있다.

싹이 트고 잎이 자라고 이삭이 고개를 숙일 때쯤 강물은 다시 불어나고, 강물이 더 불어나기 전에 부지런한 농부들이 수확을 하면 나일 강은 다시 넘쳐 기름진 흙을 흩뿌려 다음 해의 풍년을 기약하곤 했어요.

헤로도토스는 "이 지역 사람들은 다른 민족에 비해 노동력을 적게 들여 농작물을 수확한다. 가래나 괭이로 밭이랑을 일굴 필요도 없이, 강이 제 스스로 넘쳐 흘러 농경지에 물을 대고 물러가면 씨앗을 뿌리고 김을 매어 수확을 기다리다가, 때가 되면 거둬들인다."고 쓰고 있어요.

투탕카멘의 황금 마스크

고대 이집트 제18대 왕조의 제12대 왕 투탕카멘의 무덤에서 발견된 장의용 황금 마스크이다. 이집트 박물관 소장.

한편 이집트는 사막과 바다로 둘러싸인 폐쇄적인 위치에 있어서 외부의 침입 없이 오랫동안 통일 왕조가 유지된 채 고유의 문화를 간직할 수 있었어요. 이집트의 왕은 파라오('큰 집' 이라는 뜻으로 큰 집에 사는 왕을 가리켰다.)라 불렸고 태양신의 아들로서 숭배되면서 절대적인 권력을 행사하였어요.

이집트 인들은 이 세상에서의 짧은 생애보다 죽은 뒤의 세계에 더 큰 의미를 두었어요. 현세에서는 나일 강이 늘 풍요를 주었고, 먹고 살아가는 데 걱정이 없었기 때문이에요. 이들은 영혼은 결코 죽지 않으며, 죽은 사람의 몸을 미라로 만들어 썩지 않게 보관하면 언젠가 부활하리라 믿었어요. 그래서 시체를 미라로 만들어 사자의 서(죽은 사람이 저승에서 재판을 받는 장면이 그려진 사후 세계의 안내서)와 함께 피라미드에 묻었어요. 그리고 사람의 얼굴과 사자의 몸을 한 스핑크스를 만들어 피라미드를 지키게 했지요.

피라미드는 거대한 무덤으로 쿠푸 왕의 피라미드의 경우, 밑변의 평균 길이가 230.4미터, 높이가 147미터나 됩니다. 하나의 무게가 2.5톤

이나 하는 돌덩어리 230만 개를 쌓아 만들었지요. 헤로도토스의 《역사》에 의하면 10만 명의 장정들이 동원되어 20년에 걸친 공사 끝에 완성되었다고 해요.

이집트는 여러 가지 실용적인 과학과 기술이 발달했어요. 이집트 인들은 1년을 365일로 하여 태양력을 만들어 나일 강의 범람과 농사지을 시기를 알아냈어요. 그리고 나일 강의 범람 후 농경지를 정리하고 토목 공사를 하는 과정에서 측량술, 기하학 등의 학문이 발달하였어요. 또 거대한 피라미드와 신전을 만들기 위해 도르래, 지렛대의 원리를 이용한 건축술이 발달했답니다.

피라미드

사각뿔 모양의 거대한 건조물로 돌이나 벽돌을 쌓아 만들었다. 왕이나 왕족의 무덤으로, 기원전 2700년에서 기원전 2500년 사이에 이집트, 수단, 에티오피아 등지에서 건조되었다.

미라 만드는 법

1 먼저 쇠갈고리로 콧구멍을 통해 뇌수를 끄집어 내고, 쇠갈고리가 닿지 않는 부분은 약품을 주입하여 씻어 낸다.

2 예리한 에티오피아 돌로 옆구리를 절개하고 오장육부를 모두 꺼낸 다음, 꺼낸 오장육부를 야자유로 깨끗이 씻고, 갈아서 으깬 향료로 다시 씻는다.

3 이어서 순수한 몰약과 계피 등의 향료를 복강에 가득 채우고 봉합한다.

4 그런 다음 천연소다에 담그고 70일간 놓아둔다.

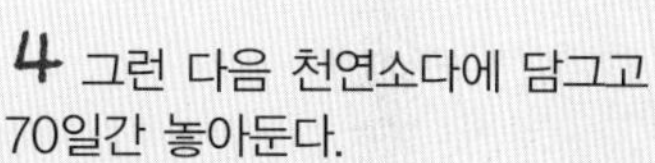

5 70일이 지나면 유체를 씻고 질 좋은 아마포를 잘라 만든 붕대로 전신을 감싼다.

6 그 위에 이집트 인이 아교 대신 사용하는 고무를 바른다.

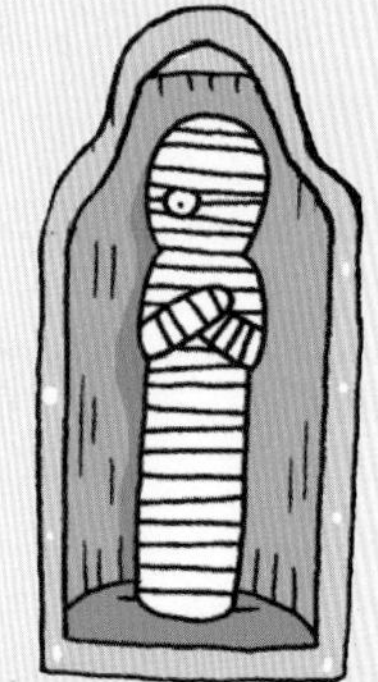

7 사람 형태의 목관을 만들어 미라를 넣고 봉한 후 묘실 내 벽 쪽에 똑바로 세워 안치한다.

제6장 페르시아, 세계 제국을 건설하다

페르시아

캄비세스는 이집트를 정복하고 오리엔트 전역을 통일했지만
오리엔트 통일

도무지 제정신이라고 볼 수 없는 온갖 악행을 저질렀어.

이집트 인들은 캄비세스가 벌을 받아 간질병이 깊어져 정신이 온전하지 않아서 그렇다고 생각했어.
저주

이집트 원정 중에 캄비세스는 이집트 인이 신성시하는 소를 조롱하며 죽였고

사제들을 채찍으로 때렸으며

이집트 인의 축제를 강제로 중지시킨 적도 있었어.
금
지

그 전에도 별로 제정신이 아니었지.

꿈에 누군가가 나타나
"스메르디스가
옥좌에 앉아 있고
그 머리가 하늘에
닿아 있다."고
말했다며

자신의 부하 프렉사스페스를 시켜
친동생* 스메르디스를 죽이고

*《역사》에서는 스메르디스라고 돼 있지만 진짜 이름은 바르디야.

또 그를
동정했다는 이유로
자신의 왕비까지
살해했어.

드디어
캄비세스도
죄 값을 받게 될
일이 터졌지.
죄값

그가 이집트 원정 중에 있을 때

페르시아에서는 메디아 출신의
점성술사 마고스 형제가

모반을 일으켰어!

그 중 동생의 외모가
캄비세스가 오해로 죽인 캄비세스의
동생 스메르디스와 너무나 빼닮은
데다가 이름도 같았지.
짝퉁
스메르디스

그래서 자기가 캄비세스의 동생
행세를 하며 옥좌에 앉은 거야.

그제서야 캄비세스는 알아챘지.

자신의 왕위를 빼앗으려 한
자는 자신의 친동생
스메르디스가 아니라
마고스 스메르디스였던
것을!

캄비세스는 아무 죄 없는 동생을 죽였다는
자책감에 괴로워했지.
자책

캄비세스가 마고스 형제를 토벌하기
위해 말에 오르는 순간

칼집이 벗겨져
그 칼에 허벅지가
찔리고 말았어.
스릉

상처가 덧난 캄비세스는 생명이
위독해졌어.

죽음의 문턱에서 왕위를 차지하고
있는 이는 자신의 친동생이
아님을 밝혔지만
진실!!

사람들은 믿지 않았어. 오히려
캄비세스가 꾸며낸 이야기라
생각했지.

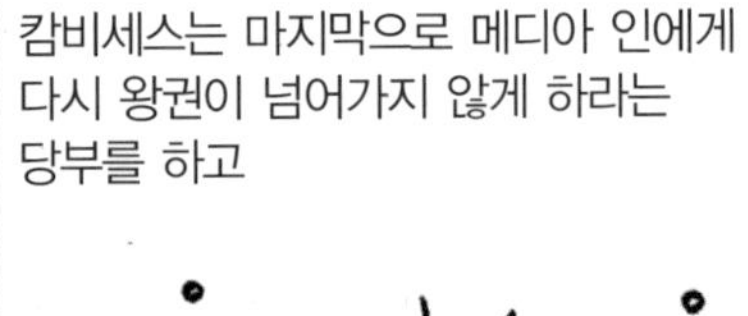
캄비세스는 마지막으로 메디아 인에게
다시 왕권이 넘어가지 않게 하라는
당부를 하고

결국 자식 하나 없이
세상을 떠났어.
지옥

그동안 주술사 스메르디스는
키루스의 아들이자
이 분이
아버지

캄비세스의 동생 스메르디스 행세를 하며
아무 탈 없이 왕위를 차지하고 있었어.
이 양반이
형!

하지만 결국 서서히
정체가 폭로되기
시작했어.

이 사실을
가장 먼저
알게 된
이는
왕은 가짜다

오타네스란 자로 캄비세스의
숙부였어.

그는 믿을 만한 사람들을 모았어.
일곱 명이나 모였는데

그중 한 사람이 다리우스였지.
그는 왕가의
일원으로

그의 아버지는 페르시아
총독이었어.

그는 사실 스메르디스가 가짜라는
걸 혼자서만 알고 있는 줄 알았어.

동지들이 7명이나 된다는 걸
알고는 다리우스는 당장 일을
치르자고 서둘렀지.

보다 신중할 필요가 있소.
서두르지 말고
동지들을 더 모아야
합니다.

그런 방법으론 반드시 참혹한
최후만이 기다리고 있을 거요.

사람이 많다 보면
반드시 밀고자가
생기게 마련이니까.
저것들을 그냥
확 불어 버려?

그럼 도대체 경계병들이 철통같이
지키는 왕궁을 어떻게 뚫고 들어간단
말이오?

지금은 말이 아니라 행동이
필요하오. 필요하다면
거짓말도 해야지요.

우리 정도의
신분이라면
경비병들도
존경심과
두려움을
가지고 있으니
통할 거요.

만약 끝까지 반항하면 없애야지요. 어쨌거나 밀고 들어가야 합니다.
마고스

그즈음 마고스 형제들은 의논 끝에
출입금지

캄비세스의 명령으로 왕의 동생을 직접 살해했던 프렉사스페스를 끌어들이기로 했어.
프렉사스페스

그는 왕의 동생 스메르디스의 죽음을 알고 있는 유일한 인물인데다

페르시아에서 아주 명망이 높았거든.
명
성

그동안 그는 왕의 동생을 자신의 손으로 죽였다는 이야기를 해 봤자
누워 침 뱉는 거지.

자신에게 유리할 것이 없을 것 같아 입을 다물고 있었지.

그는 마고스 형제의 제의를 받아들여 사람들이 많이 모인 곳에서
웅성
웅성

지금의 왕이 바로 키루스의 아들이자
빨리 해!
쿡
쿡

캄비세스의 동생인 스메르디스라는 내용의 연설을 하기로 했어.

그는 사람들 앞에서 그동안 신변의 위협으로 사실을 못 밝혔지만 이제 진실을 밝히겠다며 오히려 일의 진상을 폭로해 버렸어.
폭로

바로 키루스의 아들 스메르디스는 캄비세스의 명으로 자신이 죽였으며

지금의 왕은 마고스
스메르디스라고 말이야.
저것이

그런 다음 페르시아 인들을 향해
메디아 인으로부터 왕권을 되찾으라고
외치고

스스로 죽었어.
뚝

한편 7명의 동지들은 이러한 소란을 알지 못하고 다리우스의 주장대로
무사히 경비병들을 따돌리고 왕궁에 들어가
통과
초소

마침 프렉사스페스 사태를 어떻게
수습할까 의논하고 있던

마고스 형제를 죽였지.

이제 7인의 동지들은 이후의
사태를 어떻게 수습할지
회담

의논을 시작했어.
문제해결

먼저 오타네스는
우리는
캄비세스와
마고스들의 폭정을
충분히
경험했소.

아무런 책임도 지지 않고 무슨
일이든 행할 수 있는 독재 체제가
어찌 좋은 제도라고 할 수 있겠소?
독재제

아무리 뛰어난
인물이라도 일단
왕의 자리에
오르면 맘이
변해
절대권력

다른 사람들의 의견을 무시하게 되오.
귀마개

이에 비해 대중에 의한 정치는 만민 평등이라는 훌륭한 명분을 가지고 있고
만 민 평 등

관리들이 추첨에 의해 선출된 만큼 책임감을 갖고 직무를 수행하며
正 正 正 正 正 正 正 正
투표함

모든 국가의 정책은 국민들의 여론에 따라 결정되오.
여론창구

이에 따라 나는 민주제를 확립해야 한다고 보오.
민주제

독재제를 폐기해야 한다고 말한 데 대해서는 나도 찬성이오.

하지만 주권을 민중에게 맡기는 것은 반대요. 민중은 무식하고 무책임하고 무엇이 옳은지 깨달을 능력도 없는 자들이오.
무식?

우리는 가장 우수한 인재들을 선발하여
과 거 시 험

그들에게 주권을 부여하는 과두제를 채택해야 하오. 물론 우리도 그 안에 포함되겠지.
과두정치

가장 훌륭한 인재들에게서 최선의 정책이 나오는 건 당연한 이치 아니겠소?
훌륭한 인재
최 선 의 정 책

나는 대중에 대한 동지의 생각은 동의하지만

과두 정치에 대한 발언은 잘못이라고 보오.

민주제도 과두제도 가장 뛰어난 한 사람에 의한 통치 체제보다 더 훌륭할 수는 없다고 보오.

과두제 하에서는 서로 공을 쌓으려고 다투게 되고 따라서 격렬한 대립이 생길 수밖에 없을 거요.
배가 산으로 간다.

민주제
과두제
독재
민주제나 과두제도 결국은 많은 문제를 안고 독재 체제로 귀결될 수밖에 없소.

우리의 자유 역시 어떻게 얻어졌소? 우리가 메디아의 지배에서 벗어나 자유를 누리고 있는 것도
자유

민중에 의해서도, 과두제에 의해서도 아닌 바로 훌륭한 한 사람의 인물, 키루스 대왕에 의해서가 아니오?
페르시아

나머지 네 동지도 다리우스의 의견에 찬성을 했어.
찬성
다레이오스

이제 누가 왕이 되는가 하는 결정만 남았지.

민주제를 주장한 오타네스는 나머지 6명에게 자손 대대로 누구의 지배도 받지 않는 조건으로

누가 왕이 되건 자손들에게 여러 가지 특권을 줄 것을 약속받고 자신은 왕 후보에서 빠졌어.
퇴장

누가 왕위에 올랐을까?

짐작했겠지만 다리우스였지.

다리우스는 영리한
마부의 도움을 받아 속임수를
써서 왕위에 올랐어.
이 말이
먼저 울면
내가 왕!!

드디어 페르시아는 다리우스의 시대를 맞은 거야.

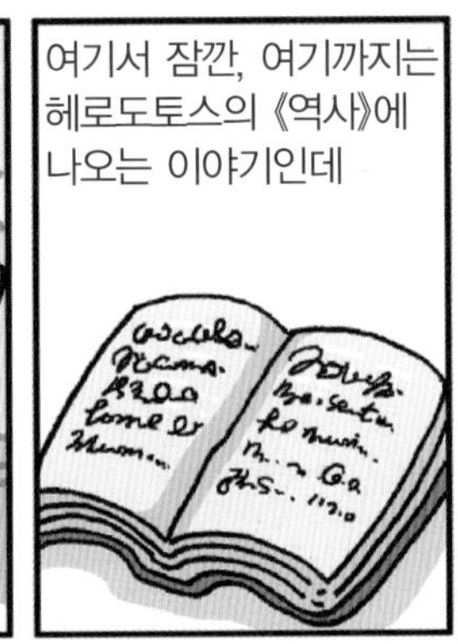
여기서 잠깐, 여기까지는
헤로도토스의 《역사》에
나오는 이야기인데

후세의 학자들 중에는 다리우스가 죽인
스메르디스는 진짜 캄비세스의 동생이자
키루스의 아들이 맞다고 주장하는
이들도 있어.

즉 다리우스가 자기가 왕위에
오르는 것을 정당화하기 위해
가짜로 꾸몄다는 거지.
재미
거짓
정당화

다리우스는 왕위에
오르고도 많은
반란을 겪게 돼.
반
란

그중에는 스스로 진짜
스메르디스라고 주장하는
사람의 반란도 있었어.
진짜!!
스메르디스

다리우스가 왕위에 오른 것에 대해
정당성이나 설득력이 떨어진다는 증거라
할 수 있지 않을까?
뭔가
빠졌어!
정당화

진실은 뭘까? 혹시 아니?
사실을 밝혀 줄 또 다른
어떤 사료가 등장해서 역사가
새로 쓰여질지?
서프라이즈

다리우스는 왕위에 오르자 키루스의 딸들, 스메르디스(물론 키루스의 아들)의
딸, 오타네스의 딸들을 아내로 맞아 자신의 후광으로 삼았어.

다리우스는 왕이 되어 어느 정도
내부 질서를 정비한 다음
정치
문화
경제
과학

유목 민족의 침입을 막기 위해 대외 원정에 나섰지.
너 이놈! 왜 남의 과일을 따 먹는 거냐?

지금의 카스피 해 동쪽의 스키타이 족을 공격하고
마사게타이
스키타이
카스피 해
흑해

또 몇 년 뒤에는 인더스 강 유역까지 정복하게 돼.
인더스강

이어서 다시 서쪽으로 눈을 돌려 트라키아와 마케도니아까지 손에 넣게 되지.
접수
마케도니아
그리스
에게해

이제 그리스 세계와 접하게 된 거야.
더는 넘지 마.

다리우스의 가장 중요한 업적은 행정과 조세 구역의 정비였어.
행정구역
조세구역

사실 키루스와 캄비세스가 다스릴 때는 정해진 납세 제도가 따로 있었던 게 아니고
납세가 뭐야?

그냥 백성들은 임금에게 물건을 바칠 뿐이었지.

그는 페르시아 본국만 제외하고
내 시민에게 세금을 물릴 수는 없는 일!

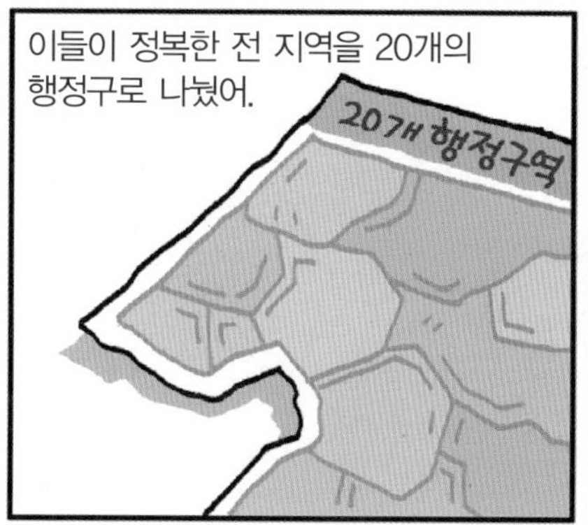
이들이 정복한 전 지역을 20개의 행정구로 나눴어.
20개 행정구역

그리고 거기에 각각 총독을 임명한 후 각 행정 구역별로 납세액을 정했지.
총독 임명장

세금은 은이나 금으로 내야 했어.

살고 있는 지역을 기준으로 행정 구역을 나누었으니 실제로는 민족별로 납세를 정한 거나 마찬가지였지.
납세액
민족별

물론 페르시아 인들은 세금을 면제받았어.
비키 !!
납세
뻥

헤로도토스는 《역사》에서 각 지역과 민족별로 납세액이 얼마나 되었는지를 상세하게 밝히고 있어.
꾹
꾹

여기에 얼마나 많은 민족의 이름이 나오는지 몰라. 한번 들어 볼래?

이오니아 인, 아이올리스 인, 카리아 인, 리키아 인, 팜필리아 인, 미시아 인, 리디아 인, 프리기아 인, 트라키아 인, 파플라고니아 인, 시리아 인, 페니키아 인, 팔레스티나 인, 키레네 인, 바르케 인….
시리아
이오니아
마그네시아
아이올린스
카리아
리키아
밀리아스
미시아
리디아
페르시아

아우 숨이 차서 더 이상 못하겠다.
헉
헉

이 밖에도 무지 많은데 이만 하지 뭐.

어쨌거나 페르시아의 영역이 엄청났다는 거 알겠지?
지구의 반이 페르시아 였지.

마케도니아
흑해
카스피 해
박트리아
아테네
사르디스
아르메니아
아수르
파르티아
지중해
아시리아
바빌로니아
페르시아 영역
인더스 강
멤피스
바빌론
수사
페르세폴리스
이집트
나일 강

현재로 따져 보면 동으로 아프카니스탄,
서로는 터키, 남으로는 이집트,
북으로는 옛 소련의 경계선까지

이 모두가 이 다리우스가 넓힌 땅덩어리지. 하하하!

굉장히 넓은 제국을
차지하고 있었지.
페르시아
페르시아

오리엔트 전체가 페르시아라고 하는 하나의 국가로 묶여지게
된 거지. 역사적으로 '오리엔트 세계'가 성립된 거야.

다리우스는 자신이 지배하는 그 넓은
지역 구석구석을 잘 나눠
똑같이 나눠야
불만이 없지.

총독을 파견하여 통치하고
세금을 걷게 했어.
파견
근무

물론 총독이 혹시 왕에게 반란을
꾀하지 않도록 감시망도 잘 갖췄지.
감시 때문에
사랑도 못해….
CCTV

뿐만 아니라 페르시아 만에서
소아시아까지 2,580㎞에 이르는
도로망을 건설하여

제국의 수도인 수사와 소아시아의
사르디스를 연결했어.
사르디스
수사
수송

'왕의 길'이라 불리는 이 길을 통해 파발꾼들은 왕의 명령을
1주일도 안 돼 소아시아 끝까지 전달했지.
트라키아
흑해
스키타이
카스피해
사르디스
왕의 길
티그리스강
엑바타나(여름 왕궁)
지중해
유프라테스강
수사
행정 중심지
이집트
페르세폴리스(왕궁)
인더스강
바빌론
나일강
테베
아라비아

말을 타고 정해진 구간을 전달
또 전달하기
때문에
신속배달

헤로도토스는 "이 페르시아의 파발꾼보다
빠른 것은 이 세상에 없다."
왕의 길
파발

"눈도, 비도, 더위도, 어둠도,
이 파발꾼들의 질주를
방해하지 못한다"고
쓰고 있어.

이 길은 평상시에는
교역로로
교역

전쟁이나 반란이 일어났을 때는
군대나 물자의 수송로로 이용되었지.

이 길은 로마 제국의
도로망이 등장하기 전까지는
세계 최고의 도로망이었어.
로마
페르시아

이로써 페르시아는 더 이상 견줄
상대가 없을 정도로 강력한 나라이자
페르시아
절대

큰 부자 나라가 되었고

왕은 누구도 견줄 수 없는
강력한 권력을 가진 존재가
되었지.

말 그대로 다리우스 시대에 이르러
페르시아는 세계 제국이 된 거야.

이 장에서 헤로도토스는
페르시아의 영역에 속해
있던 인도나 아라비아 인,
리디아 인, 에티오피아
인들의 생활양식이나
풍물 등을 소개하고
있는데
생활양식

좀 황당한 것들도 있어.

예를 들어, 인도 인들의 정액은
피부색과 똑같은 검은
색이라던가

인도의 모래 사막 지대에는 개보다 작지만 여우보다는 큰 개미가 살고 있다는 둥
여우 보다 크다?

토끼처럼 겁이 많고 다른 짐승의 먹이가 되는 약한 짐승은 끝없이 잡아먹혀도

전멸되지 않도록 번식력이 아주 강하고

사납고 강한 사자의 암컷은 일생에 단 한 번 그것도 한 마리의 새끼밖에 낳지 않는다고 쓰고 있어.

이건 들은 얘기들을 옮겨 적었기 때문에 생긴 문제가 아닐까 싶어.
쫑긋!

잠깐! 다리우스에 대한 이야기를 좀 더 하고 이번 장을 마무리하자.
흠!

페르시아의 왕들은 막강한 권력을 가진 전제 군주들이었지.
절대 권력

흔히 페르시아의 왕들은 백성들의 삶에는 아무 관심도 없고
무관심

자신의 권력을 위해 잔인한 짓도 서슴지 않는 이들로 그려지는 경우가 많아.

특히나 서양의 역사책에 등장하는 페르시아의 왕들은 대부분 그러하지.

하지만 다리우스는 아주 관대하고 포용력 있는 왕이었나 봐.

헤로도토스의 《역사》에도 다리우스의 관대함이 곳곳에 드러나거든.
역사

적장의 아들이 사로잡혔을 때
그에게 아무런 위해도 끼치지 않고

영지와 주택을 주어 페르시아 여자와
결혼시키고

그 자식들을 모두 페르시아
국민으로 입적시키기도 했어.

페르시아 국민증
성명 베르니크
주소 ……

또 자기에게 큰 해를 끼친 적의 포로들을
측은하게 생각해서

전혀 처벌하지 않고 자신의
직할 영주에 정착시키기도 했지.

물론 다리우스 개인의
관대함을 지나치게
일반화시키는 건 무리가
있겠지만

페르시아의 전제 정치에 대한
혹독한 비판은 한 번 더 생각해 볼
필요가 있어.

비판
깡

어쩌면 그리스의 민주 정치와
페르시아를 비롯한 오리엔트의 전제
정치를 대비시켜

민주정치
전제정치
그리스
페르시아

아주 후진적이고 잔혹한 정치로
몰고 가는 것은

저급
고급

지나친 서양 중심적인 사고 방식에, 지리적 조건과 역사적 상황을 무시하고
단순 비교를 해서 나타난
결과가 아닐까?

세계의 중심
유럽

그렇다고 해서 왕에게 절대적인
권력이 있었던 페르시아 정치
체제가 훌륭했다는 건 물론
아니야.

전제 정치

단지 그리스 민주정이
모든 사람이 다 자유롭게
참여하는 것이 전혀 아닌
특권층
민주정

소수의 남성 시민들에 의한
시민권

대다수의 노예들이나 반노예 농민들의
희생을 바탕으로 한 것이었다는 점을
다시 떠올려 본다면

그런 비판은 페르시아
입장에서는 약간 억울해할 수
있다는 거지.

실제로 페르시아는 정복지의 주민들이
자신들의 관습과 법, 종교를 지킬 수
있도록 관대한 정책을 폈어.
관습
법
종교
관대한 정책
식민지

자신의 종교를 믿으라고
총칼로 위협하고

종교가 다르다고 수많은
사람들을 학살하는 따위의
야만적인 일은
없었거든.
종교전쟁

그 다음으로 이어지는 이야기는

다리우스 대왕과 제국이 그리스 세계로
눈을 돌리게 되는 과정
그리스

그리고 페르시아가 드디어 그리스
원정에 나서면서 벌어진 두 세력
간의 싸움에 대한 거야.
그리스
원정

하지만 이건 아직 두 세력 간의
오프닝 게임에
불과해.
오프닝

자, 그럼 다음 장을 열어 볼까?
역사

신의 뜻을 묻는 '신탁'

신과 인간의 아버지 제우스

고대 그리스 신화에 나오는 최고의 신으로, 천지의 모든 현상을 주재하는 존재이다. 로마 신화에서는 유피테르에 해당한다.
좌측은 여신 헤라.

헤로도토스의 《역사》에는 꿈, 갑작스런 천재지변, 이상한 현상 등 수많은 징조들이 등장해요. 하지만 그 어떤 징조들보다 사건의 흐름에 결정적인 정보를 제공하는 것은 신탁이에요. 신탁은 신이 사람을 통해 그의 뜻을 전달하거나 인간의 물음에 대답하는 것을 말해요.

중요한 일이 있을 때마다 그리스의 국가들은 신에게 물어 신의 말씀을 들었어요. 물론 개인적인 문제로 신탁을 찾는 경우도 아주 많았지요. 신탁소들은 그리스 곳곳에 있었지만, 가장 오래된 도도나의 제우스 신탁소, 가장 영험하기로 소문난 델포이 신탁소가 유명했어요.

도도나에서는 말하는 참나무 잎의 살랑거리는 소리로 제우스의 뜻을 물었어요. 신탁을 구하는 사람이 납으로 만든 판에 질문을 적어서 접어 두면, 신관이 그 판을 항아리에 넣어 무녀에게 가지고 갔어요. 그러면 무녀는 제우스에게 바친 떡갈나무 잎사귀가 바람에 흔들리면서 내는 소리를 듣고 신탁을 내렸어요. 또 청동그릇 여러 개가 내는 소리를 통해 신의 뜻을 알아내기도 했어요. 어떤 내용으로 신탁을 구했는지는 납으로 만든 판에 새겨져 있어서 지금도 알 수 있지요. 그 내용은 아내 뱃속에 있는 자식이 진짜 자기 자식인지 묻는 개인적인 내용부터, 신전을 어디에 지어야 할지를 묻는 것까지 다양했어요.

델포이는 포키스의 파르나소스 산 중턱에 세워진 도시였어요. 이곳에 델포이 신탁소가 세워진 것에 대한 다음과 같은 이야기가 전해지고 있어요.

어느 날 한 양치기가, 풀을 뜯고 있던 염소들이 산 중턱의 깊은 틈이 있는 곳으로 가기만 하면 발작을 일으킨다는 사실을 발견했어요. 양치기가 그곳에 가 보니 염소들과 마찬가지로 정신을 잃고 경련을 일으켰지요. 지하 동굴에서 틈 사이로 특수한 증기가 새어 나와서 그것을 들이마신 양치기와 양이 경련을 일으킨 것이었어요. 하지만 사람들은 양치기가 경련을 일으키며 내뱉은 헛소리를 신의 영감을 받은 소리라고 생각했어요. 사람들은 그곳에 신전을 세우고 '파티아'라 불리는 무녀를 뽑아 신탁을 받도록 했지요.

무녀는 일단 신전의 오른쪽에 있는 우물의 물로 몸을 정갈히 하고, 신의 뜻을 듣기 위해 월계수로 장식된 다리가 셋 달린 솥 모양의 가마 위로 입장하였어요. 그것은 증기가 올라오는 틈새 위에 있어서, 증기를 쐰 무녀는 마취가 되면서 서서히 경련을 일으키고, 몽롱해진 상태에서 무슨 말인가를 중얼거렸어요. 그러면 옆방에 있던 신관이 이것을 시로 만들어 사람들에게 전해 주었어요. 이때 신관은 신탁을 의뢰한 사람들이 좋아할 만한 이야기로 꾸며서 전달하기도 했지요.

때로는 무녀가 매수되어 신탁을 조작하는 일도 종종 있었어요. 헤로도토스의 《역사》에도 무녀를 매수하여 자신이 바라는 대로 신탁이 내려지도록 했다가 나중에 들통이 난 사례가 씌여 있지요.

그리스 인들은 신탁을 신의 뜻으로 믿었지만, 사실 신탁의 내용은 애매모호하고 두루뭉술하여 해석을 달리할 수 있는 여지가 얼마든지 많았어요. 결국 신탁은 신의 뜻이라기보다는 신탁을 구한 사람의 소망이나 의지, 즉 인간의 뜻이었던 셈이에요.

델포이 신전 유적
고대 그리스의 아폴론 신전과 신탁소가 있던 곳이다. 고대 그리스 인들은 델포이가 세계의 중심이라고 생각했는데, 신화에 따르면 제우스가 독수리 2마리를 각각 동쪽과 서쪽에 놓아주면서 세계의 중심을 향해 날아가게 했더니, 2마리의 독수리가 델포이에서 만났다고 한다.

제7장
아테네를 응징하라
종착지
42.195km
20km
30km
40km
후들
후들
다리우스의 원정과 마라톤 전투

마라톤 경기 알지? 42.195㎞를 쉬지 않고 달리는 경기.

터질 듯한 심장을 안고 인간 능력의 한계에 도전하는 올림픽의 꽃
인간
한계

이번 장에서 우리가 떠나는 역사 여행은 바로 이 마라톤 경기의 유래와 관련이 있는 마라톤 전투에 관한 내용이야.
승전보

처음으로 동양과 서양이 맞붙은 전투
서양 vs 동양

세계 제국을 건설한 페르시아가 서쪽으로 눈을 돌리면 만나게 되는 그리스
이놈만 잡으면 게임 아웃인데.
그리스

동서양의 두 세력이 맞붙어 천하의 패권을 가리게 되는 건 정해진 순서겠지.
셋에 쏜다!
흥!

더구나 트라키아나 마케도니아까지 페르시아 세력 안에 들어갔으니 그리스 세계는 위험을 느낄 수밖에.
마케도니아
그리스
트라키아
빠직

또한 페르시아 역시 지중해를 무대로 커 가고 있는 새싹 그리스를 일찌감치 밟아 줄 필요가 있었던 거야.
싹뚝

그냥 두었다간 진짜 골치 아픈 존재가 될 수도 있으니까.

그런데 실제 두 세계가 부딪쳐 전쟁까지 가는 동안엔 사연이 있었어.

페르시아의 세력 안에 있던 이오니아 인들이 반란을 일으키고
이오니아
페르시아 노예

이것을 아테네가 지원하게 되었고
아테네

결국 이오니아 인들의 반란을 진압하기 위해 출동한 페르시아 군이
삐오 삐오

내친김에 미운 털이 박힌 아테네를 응징하러 그리스 원정에 나선 거야.
삐오 삐오
그리스원정

이걸 1차 페르시아 전쟁이라고 해.
1차 페르시아전쟁

반란의 기치를 내건 주모자는 역시 이오니아의 중심 도시 밀레투스였어.
반란
사모스
밀레투스

기억나지? 2장에서 얘기한 밀레투스 학파, 탈레스 이야기.

밀레투스의 지배자 아리스타고라스는 비밀리에 페르시아에 대한 모반을 준비했어.
모반

먼저 밀레투스의 독재 체제를 민주제로 바꾸고
민주정

다른 이오니아 도시들에서도 독재자들을 추방하게 도왔어.

그 이유야 당연히 도시 주민들의 지지를 얻기 위해서였지.
민초들의 지지가 있어야!

좀 더 강력한 동맹군이 필요했던 아리스타고라스는 고심했지.
우리들 힘들어.

어디로 갔을까?
아테네
?
스파르타

바로 스파르타였어. 그때 스파르타의 왕은 클레오메네스였지.
스파르타

이오니아의 동포가 페르시아의 노예로 지내는 것은 우리 모든 그리스 인

그 중에서도 그리스 세계의 영도자인 전하와 스파르타 인에게는 더할 나위 없는 모욕입니다

부디 동포인 이오니아 인을 구해 주십시오.

이건 스파르타에겐 식은 죽 먹기입니다. 가장 강하잖아요?
얘가 뭘 알긴 아네그려~

게다가 그들은 온갖 보물을 쌓아 놓고 있으니 전하께서 원하기만 하면 모두 가질 수 있다고요.

별 볼일 없는 다른 나라에 눈길 주지 마시고 이렇게 넓고 부유한 아시아 전역을 손에 넣어 보심이 어떠실까요?
음

그는 가지고 온 세계 지도까지 보이면서 열심히 설명했어.

곰곰이 생각한 스파르타 왕은 이오니아 해안에서 페르시아 수도인 수사까지 얼마나 걸리느냐고 물었어.
수사

그런데 아리스타고라스가 실수를 했어. 세 달이라고 사실대로 말한 거야.
한 석달!

당장 사라져! 그대는 스파르타 인을 그 먼 곳까지 끌고 가려 했느냐? 말도 안 돼!

다급해진 아리스타고라스는 돈으로 사례하겠다고 애걸했지만
흥!!

결국 쫓겨나고 말았지.
OUT

아리스타고라스의 발길은 어디로 향했을까? 바로 아테네였어.
아테네

아테네는 당시 독재자를 몰아내고 민주정이 수립되어 있었어.
민주정

그 과정에서 스파르타의 공격을 받는 등 수차례의 위기가 있었지.
외세

하지만 그러한 위기를 겪으며 아테네는 더욱 단단해졌어.
비 온 뒤 땅이 단단해진다 했어!

잠깐 숨을 돌려서 《역사》 속으로 들어가 볼까?
역사

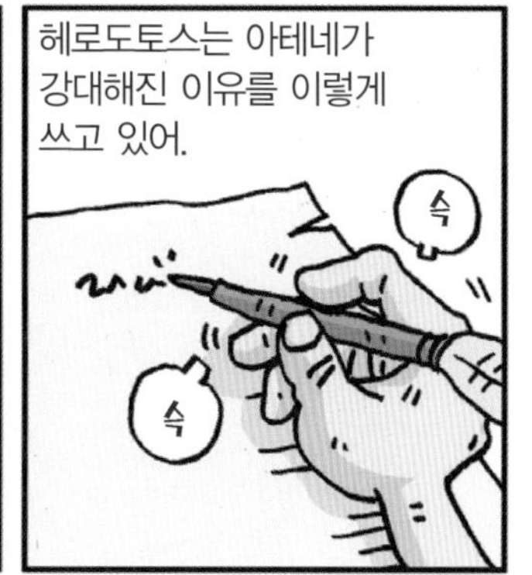
헤로도토스는 아테네가 강대해진 이유를 이렇게 쓰고 있어.
슥
슥

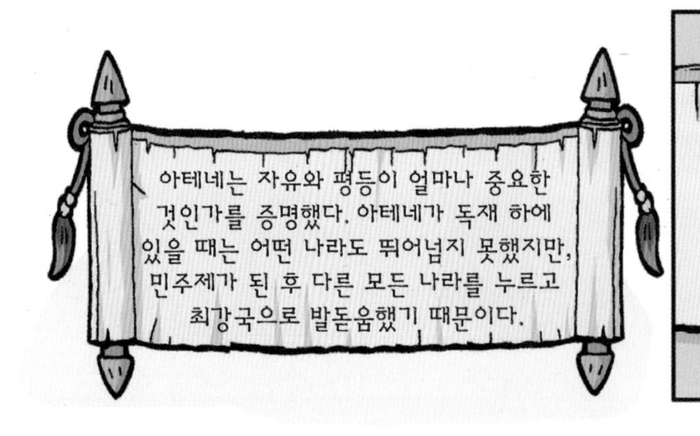
아테네는 자유와 평등이 얼마나 중요한
것인가를 증명했다. 아테네가 독재 하에
있을 때는 어떤 나라도 뛰어넘지 못했지만,
민주제가 된 후 다른 모든 나라를 누르고
최강국으로 발돋움했기 때문이다.

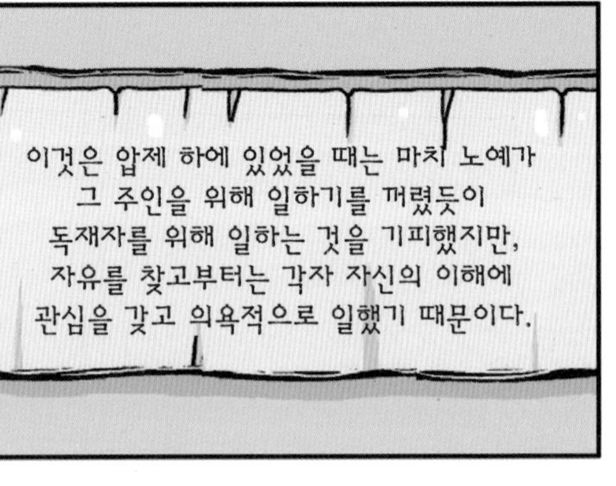
이것은 압제 하에 있었을 때는 마치 노예가
그 주인을 위해 일하기를 꺼렸듯이
독재자를 위해 일하는 것을 기피했지만,
자유를 찾고부터는 각자 자신의 이해에
관심을 갖고 의욕적으로 일했기 때문이다.

자유로운 인간들의 의지.
역사 발전에 있어서 그보다
더 큰 힘을 발휘하는 건 없지.
누가
시켜서 하면
재미없어!

친구들도 선생님들과 부모님의 눈치를
보며 억지로 하는 공부가 아니라

스스로의 의지로 공부해 봐.
정말 성적이 쑥쑥 오를 테니.
푸하하
어때?
작심삼일
공부
휴식
공부
잠
공부

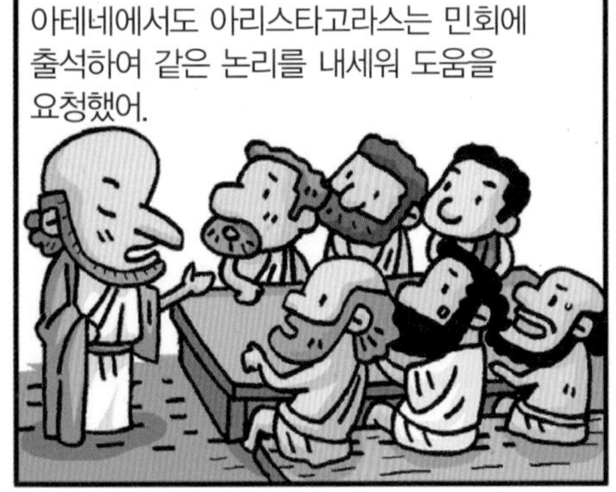
아테네에서도 아리스타고라스는 민회에
출석하여 같은 논리를 내세워 도움을
요청했어.

물론 덧붙여 밀레투스는 아테네 인들
(즉 같은 이오니아 인)이 세운 나라이니
강력한 아테네가 자기들을 보호해야
한다는 말도 잊지 않았지.

아테네 인들은 결국
설득에 넘어갔어.
설득

헤로도토스는 이것에 대해
이렇게 얘기했어.
한 사람을
속이기보다 여러
사람 속이기가
더 쉽다.

결국 아테네는
20척의 함대를
보냈고

밀레투스에게 신세를 진 적이
있던 에레트리아는 3단 노선
5척을 밀레투스로 파견했어.

아리스타고라스는 드디어
동맹군을 이끌고 사르디스를
향해 출발했지.
선 봉

그리고 생각보다 쉽게
사르디스를
점령했어.

사르디스의 집들은
모두 갈대로
지어져 있었고

벽돌로 지은 집조차
지붕은 갈대로 되어 있어서

한 병사가 어느 집에 불을 지르자
삽시간에 도시 전체가 불길에 휩싸였어.

그 과정에서 사르디스의
씨족신을 모시던 신전도 불타
버리고 말았어.

한 번 저질렀으니
이제 그냥 쭉 갈 수밖에….

헬레스폰토스, 카리아 지방의
대부분의 도시와 동맹을 맺고
동 맹

페르시아와의 일전을 준비했지.

밀레투스를 중심으로 말 그대로
대대적인 반란을 일으킨 거야.
밀레투스
반란군

한편 다리우스 대왕은
뭐야!

드디어 사르디스가 아테네와
이오니아 연합군에 의해 점령되어
완전히 불타 버렸다는 보고를
받았지.

왕은 이오니아 인들이야 별 것 아니니
신경 쓸 것 없다고 생각했지만

아테네에 대해서는 물어 봤어.
그들은 대체 어떤 자들인가?

그리스 안에서야 잘 나가고 있었지만
오빠 멋쟁이

대제국 페르시아에선 아테네가 이름조차 들어 본 적 없는 별 볼일 없는 존재였던 거야.
조그만 놈이 감히….
우물 안 개구리

대답을 들은 왕은 하늘을 향해 활을 쏜 다음 이렇게 외쳤어.
신이여, 아테네 인들에게 보복할 것을 허락하소서.

뿐만 아니라 하인 중 한 명에게 식사 시중을 들 때마다

"전하, 아테네 인을 잊지 마소서."
라고 세 번씩 말하게 명했지.

다리우스의 아테네에 대한 분노가 얼마나 컸는지 짐작이 가지?
아테네

한편 이오니아의 반란을 진압하기 위해 페르시아 군이 몰려오고 있다는 이야기를 들은 이오니아 인들은
적이다

부랴부랴 함선을 모두 모아 봤지만 353척에 불과했어.
애개!
353

페르시아 군은 세계 제국답게 다국적군이었고
연합군
UN

주력인 페니키아 함대를 포함하여 함선만 해도 무려 600척이나 됐어.

이오니아 군은 위기에 빠진 거야.

한편 모두 모인 가운데
포카이아 군의 사령관이 멋진
연설을 했어.

우리는 자유냐 노예냐,
그것도 도망친 노예냐 하는
기로에 서 있소.

만약 여러분이 고된 훈련과 엄격한
규율을 기꺼이 감수한다면 우리는
반드시 적을 제압하여 자유를 지킬 수
있을 것이오.
훈련3대수칙
전술
단결
충성

그렇지 않고 안일과 방종을 일삼는다면
우리는 도망친 노예로서 페르시아 왕의
엄중한 처벌을 벗어날 수
없을 거요.

이오니아 인들은
그에게 지휘를
맡겼지.

배의 전진, 후퇴, 돌파 훈련 등
각종 훈련은 고됐어.

실전 태세를 갖춰 대기한 지 7일.
7일
쿨
쿨

이오니아 인들 사이에서 불평이
쏟아져 나왔어.
빠각

딱 배 3척만
끌고 온 포카이아
사기꾼 놈에게 우리를
맡기다니….

나중에 노예로
살면 살았지 더는
못 버텨.
주섬
주섬

그때부터 이오니아 군은 완전히
오합지졸이 되어 버렸어.
좌
충
우
돌

결국 싸움이 벌어지자 각자
자기 나라로 줄행랑을 치다가
페르시아 군에게 무참히 당했어.
야반도주

해전에서 이오니아 군을 격파한
페르시아 군은

이어 반란의 주모자인
밀레투스를
포위 공격했어.

성벽 밑을 판 다음, 온갖 무기를
동원해 공격을 퍼부었지.
성벽

결국 아리스타고라스가 반란을
일으킨 지 6년째 되던 해,
밀레투스는 완전히
함락되어
포로

전 시민은 페르시아의
노예가 되고
말았어.
페르시아

여기서 잠깐! 이오니아 인들이
괜히 무모한 반란을 일으켰다가
무모한 반란
?

아무런
소득도 없이
피해만
컸다고?

그렇지 않아. 물론 대가가 크긴 했지만
페르시아도 참주를 통해 이오니아
지방을 통치하는 건 이오니아 주민들의
큰 반발을 살 수밖에 없다는 걸 인정하여
이오니아
독재정치

이오니아 지방은 참주정에서
민주정으로 옮겨 가는 계기가
되었거든.
이오니아
민 주 정

자유나 민주, 평등은 거저 주어진
적이 역사상 단 한 번도 없다는 점을
명심해.

페르시아 함대는 밀레투스 부근에서
겨울을 나고
겨울잠

내친김에 헬레스폰토스 해협을
건너 대륙 연안의 그리스
도시들을 공격하기로 했어.

특히 미운 털이 박힌 아테네와
에레트리아를 응징하기 위해서였지.

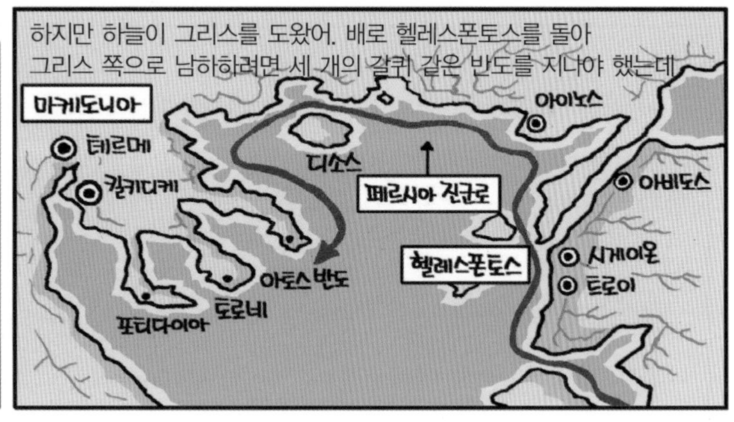

하지만 하늘이 그리스를 도왔어. 배로 헬레스폰토스를 돌아
그리스 쪽으로 남하하려면 세 개의 갈퀴 같은 반도를 지나야 했는데,
마케도니아
테르메
칼키디케
디소스
페르시아 진군로
아이노스
아비도스
헬레스폰토스
시게이온
트로이
아토스 반도
토로네
포티다이아

그 중 첫 번째가 아토스 반도였어.
아토스 반도

그 부근의 바다는 원래 풍랑이
심하기로 유명했는데
페르시아

마침 페르시아 함대가 그곳을 지날 때
심한 바람이 불어 수많은 배가
박살 났지 뭐야.

파괴된 함선만 300척, 2만 명이
이곳에서 떼죽음을 당했지.
2만 명의
페르시아군 전사

게다가 이즈음 마케도니아에 머물고
있던 육군마저 밤에 트라키아의
한 부족의 습격을 받아 큰 손실을
입었어.

결국 페르시아 군은 그리스
원정을 중단하고 아시아로
되돌아올 수밖에 없었어.
유 턴
돌아가시오

다리우스 왕은 더욱 이를 갈았어.
박
박

2년이 지난 후 그는 다시
그리스 원정군을
출발시켰어.
아테네와 에레트리아를
부수고, 그 노예들을
내 앞으로 끌고 와라.

지난번 아토스 곶에서의 악몽을 떠올린 페르시아 군은 사모스 섬을 떠나 섬 사이를 지나 바로 그리스 본토로 향했어! 섬 곳곳을 돌면서 병사를 징발하고 주민들의 자식들을 인질로 삼아 전력을 더욱 보강했지. 페르시아 군은 먼저 에레트리아를 점령하고, 전에 사르디스에서 그들의 신전이 파괴되었던 것에 대한 복수로 신전을 파괴하며 약탈을 하고 모든 걸 불태워 버렸어.

압대리
도리스코스
마케도니아
테르메
아이노스
타소스
아비도스
칼키디케
아토스 곶
시게이온
헬레스폰트 해협
안탄드로스
트로이
토로네
스키오데
리디아
아이올리스
테살리아
에게해
레스보스
아르테미시온
포카이아
사르디스
테르모필라이
키오스
에레트리아
이오니아
에레트리아
페오스
에페소스
플라타이아
마라톤
엘리스
아테네
안드로스
사모스
코린트
살라미스
올림피아
티노스
밀레투스
팔레톤
아르고스
아이기나
도리스
메세니아
낙소스
스파르타
할리카르나소스
필로스
1차 페르시아 전쟁(다리우스 왕의 원정)
다리우스 왕의 두 번째 그리스 원정
로도스
그리스 vs 페르시아 주요 격전지

물론 왕의 명령대로 시민들은 모두 노예로 만들었어.

의기양양해진 페르시아 군은 아테네를 향해 함대를 진격시켰지.

마라톤 평원
페르시아 부대가 싸움터로 찍은 곳은 아테네에서 동북쪽으로 40㎞ 정도 떨어져 있는 마라톤 평원이었어.

아르테미시온
점령
테르모필라이
에레트리아
플라타이아
마라톤
아테네
살라미스
아이기나

아테네에서 쫓겨난 독재자 히피아스가 이를 갈면서 페르시아 군을 안내했어.
지름길

아테네 인들도 10명의 대장이 지휘하는 부대를 마라톤으로 보냈지.

한편 장거리 주자 필리피데스를 전령으로 스파르타에 보내 구원을 요청했어.

스파르타는 구원병을 보내기로 결정했지만 당장 군대를 출동시킬 수는 없었어.

당시 스파르타는 아폴론 신에게 제사를 지내는 기간이었는데

스파르타 법으로는 그 기간 중의 출정은 금지되어 있기 때문이었어.
NO
법

유일하게 플라타이아에서만 원병이 도착했지.
원정
에레트리아
플라타이아
마라톤
아테네
살라미스
코린트

한편 아테네의 10명의 사령관들은 두 패로 나누어 격론을 벌이고 있었어.
군막사

이때 사령관 중 한 사람이었던 아테네의 영웅 밀티아데스가 사람들을 설득했지.

아테네가 노예로 전락할 것이냐, 아니면 자유를 지키고 찬란한 업적을 후세에 전하냐는 그대들에게 달려 있소.

우리가 쫓아낸 히피아스가 권력을 다시 잡는다면 어떤 보복을 당하게 될지는 불을 보듯 뻔한 일이오.

이 말은 그 어떤 이유보다 설득력이 있었지.
맞~다!!

자기들이 쫓아낸 히피아스가 권력을 다시 차지한다면 지독한 보복을 당할 게 뻔했거든.

결국 아테네 인들은 전투 태세를 갖췄어.

절망적인 상황에서 밀티아데스가 내세운 전술은 다음과 같았어.
비장의 카드

가장 강한 주력 부대는 오른쪽에, 플라타이아 군은 왼쪽에 배치하고, 중앙에는 가장 약하게 몇 개의 열만 배치했어.

승부수를 띄운 거지.
내 모든 걸 다 걸겠다.
승부수

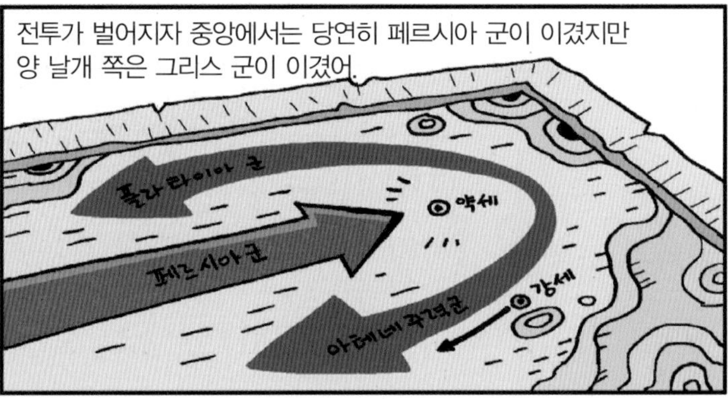

전투가 벌어지자 중앙에서는 당연히 페르시아 군이 이겼지만 양 날개 쪽은 그리스 군이 이겼어.
플라타이아 군
페르시아 군
약세
강세
아테네 주력군

날개 쪽에 있던 페르시아 군이 도망치는 것을 내버려 두고 그리스 군은 중앙의 페르시아 군을 양쪽에서 감싸듯이 공격하여 페르시아 군은 거의 전멸해 버렸어.
퇴로차단
도망가는 페르시아 군

이것이 마라톤 전투에서 그리스 군이 최초로 선보인 중무장 보병의 밀집대형 전술이었지.
중무장

중무장 보병이란 철갑 모자와 갑옷을 입고, 왼팔에 지름 1m 정도 되는 둥근 방패를 들고 오른 손엔 공격용 긴 창을 들고 싸우는 보병을 가리켜.

만약 창이 부러지면 허리에 찬 단검을 뽑아 싸우기도 하지.

아무래도 무거운 갑옷, 모자, 그리고 창과 방패 때문에 날쌔게 움직이지 못하니까

서로 빽빽하게 붙어 열을 지어
움직이는 거야. 때문에
일사분란함이
가장 중요했고,
이를 위해
자주 훈련을
해야 했지.

한 사람도 이탈하지 않고
낙오자
영차~ 영차

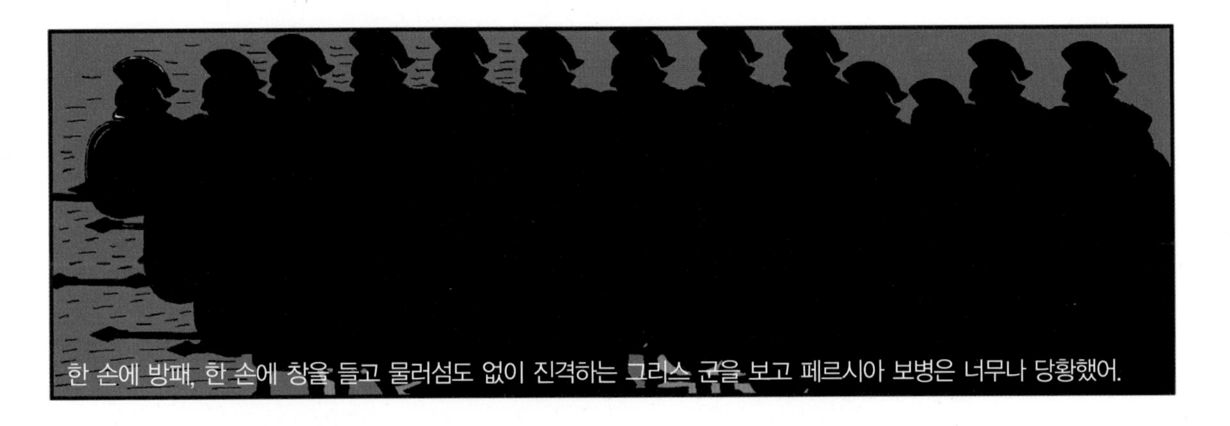
한 손에 방패, 한 손에 창을 들고 물러섬도 없이 진격하는 그리스 군을 보고 페르시아 보병은 너무나 당황했어.

게다가 그리스 군은 전술 훈련을
꾸준히 한 시민층이었고
24시간
전투훈련

페르시아 군 보병은 주로
반노예 출신이거나 용병들이
대부분이었거든.
강제
징집

게다가 양 날개에 주력을 배치하여 중앙을 감싸듯이
공격하는 전술, 사실 이 전술은 이후 많은 전쟁에서
쓰였지만

처음 시도된 건 마라톤 전투에서 밀티아데스의
승부수였다는 거야.
밀집대형
마라톤
전투

마라톤 전투에서 전사한
사람들의 수는

페르시아 쪽은 6,400명이나 되었지만
6400명
전사자수

아테네 쪽은 192명에 불과했어.
192명

여기서 잠깐, 마라톤 경기와 관련해서 이어지는 이야기.
전령 필리피데스는 40㎞가 넘는 거리를 달려 아테네에 승전보를
알리고 숨을 거두었다고 해.
헉
헉
승전보
42.195km

그리스는 산이 많아 말을 기르기
적합한 곳이 거의 없어서

기병도 발달하지 못했어.

그러니 급하면 뛸 수밖에.

그런데 왜 승리한 그리스 군이
그렇게 급하게 승전보를 알려야
했을까?
승전보?

그건 바로 페르시아 군이 함대로
철수하여 아테네를 직접 공격하기로
작전을 바꿨고

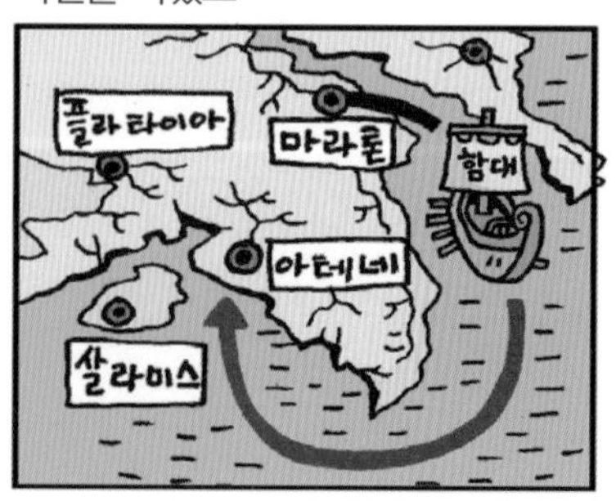
플라타이아
마라톤
함대
아테네
살라미스

그 사실을 알리게
하기 위해서
였다고 해.
페르시아
함대
저들보다
빨리 가야
돼.

덕분에 도시에 남아 있던 아테네 군은
방어 태세를 갖췄고 곧이어 마라톤의
부대도 아테네로 돌아갔지.
진지구축

1896년 제1회 근대 올림픽 대회가
아테네에서 열렸을 때

마라톤 경기 코스가 바로 마라톤에서부터
아테네에 이르는
거리였어.
마라톤
42.195km
아테네

지난 2004년 아테네
올림픽에서도 마찬가지였고.

그만큼 아테네 인들에게 마라톤
전투의 승리는 아주 중요한
의미가 있었지.
자부심
마라톤 승리

스파르타 등 다른 국가들이 도움을
주지도 않은 상태에서
미안해.

대제국 페르시아를 상대로 거둔
온전한 아테네의 승리였으니까.
아테네 인의 자부심은 하늘을 찔렀지.
외세
자율방어

이 자부심은 페르시아 군의 이어지는
침략에서도 조금도 굴하지 않고
그리스 연합군을 묶어 세웠고

결국은 또 한 번 페르시아에게
쓰라린 패배를 안겨 주는
원동력이 되었어.

참, 지금도 페르시아의 후손이라
자부하는 이란과 이라크에서는
마라톤 경기를 안 한대.
힘들게
왜 하는겨?
그러게.

재빨리 아테네를 직접 공격하기
위해 바다를 거쳐 왔던
페르시아 군은 어떻게 되었을까?
페르시아
함대
?
아테네

사정이 이러니 아테네와
가까운 바다에 닻을
내리고
철
통
경
비

발만 구르다 결국은 다시
페르시아로 뱃머리를
돌릴 수밖에 없었지.

페르시아의 종교, 조로아스터교

조로아스터
고대 페르시아의 종교가로, 조로아스터교의 창시자이다. 세계는 선신과 악신의 투쟁장이며 결국 선신이 승리하게 된다고 역설하였다. 그리스 인들은 그를 철학자 · 점성술사 · 마술사 · 수학자로 생각했다.

페르시아 인들은 정복한 지역에 살고 있던 다른 민족의 종교를 인정해서 믿을 수 있게 해 주었어요. 하지만 자신들은 조로아스터교를 믿었지요. 조로아스터교는 기원전 6세기 무렵 조로아스터(페르시아 어로는 자라투스트라)가 창시하였어요. 그는 모든 생명을 선과 진리, 빛의 신인 아후라 마즈다와 악과 오류, 어둠의 신인 아흐리만의 대결로 보았어요. 경전은 《아베스타》입니다.

조로아스터교는 신전이나 의식, 사제가 중시되었던 이전의 다른 종교에 비해 현실에서 실천하는 인간의 의지와 도덕적인 생활을 중시했어요.

아흐리만을 섬겨 정의롭지 못한 삶을 사는 자가 많으면 세상이 어지러워질 것이고, 자신의 의지로 도덕적이고 정의로운 삶을 사는 이들은 사회를 악으로부터 지켜 정의로운 사회를 만드는 데 기여하게 된다고 보았지요.

그들은 사람이 죽으면 더러워진 시신을 철망이 있는 탑 위에 걸어 놓아 독수리가 먹도록 놓아두었는데, 이를 조장(鳥葬)이라고 해요. 그들은 육체는 독수리에게 먹히지만 영혼은 죽지 않고 천국의 입구까지 간다고 믿었어요. 그리고 정의로운 사람들은 무사히 다리를 건너 천국으로 들어가지만, 아흐리만을 따르던 정의롭지 못한 사람들은 심판을 받고 다리를 헛디뎌 죄값을 치르기 위해 지옥으로 간다고 믿었지요.

하지만 선과 악의 갈등이 영원히 계속되는 것은 아닙니다. 결국은 아흐리만을 누르고 아후라 마즈다가 승리하지요. 조로아스터가 가고

3000년이 지나면 세상의 종말이 오는데, 그때 구세주가 와서 모든 인간은 부활하게 되고 최후의 심판으로 악은 멸망한다고 합니다.

페르시아 인들은 아후라 마즈다를 섬기며 정의롭게 살 수 있기를, 그리고 최후의 심판 때 천국으로 갈 수 있기를 빌었어요. 그들은 불을 빛과 순결의 상징으로 생각하여 성스러운 불 앞에서 기도했어요. 이렇게 불을 신성시하였기 때문에 배화교로 불리기도 합니다.

조로아스터교는 페르시아 제국의 확대에 힘입어 메소포타미아, 소아시아 등의 서아시아 여러 지역과 이집트 등으로 전파되었어요. 알렉산더 대왕의 원정 이후 큰 타격을 받았지만 파르티아 왕조를 거쳐, 사산조 페르시아에서는 국교로 숭배되었어요. 중국을 왕래하던 상인들에 의해 중국에도 전래되었는데 중국에서는 '현교' 라고도 불렸어요.

7세기 이슬람교가 전파되면서 이슬람 제국에 의해 사산조 페르시아가 멸망하자 조로아스터교의 교세는 현저히 약화되었어요. 이슬람의 박해를 피해 인도로 건너간 페르시아 인들은 그곳에서 그들의 종교를 파르시교로 되살렸어요. 인도에서는 지금도 페르시아 인의 후예들이 뭄바이를 중심으로 살면서 조로아스터교를 믿고 있어요.

조로아스터교의 교리 중 선과 악의 대결, 최후의 심판, 천국과 지옥, 구세주의 출현, 부활 등은 유대교, 크리스트교, 이슬람교 등에 영향을 미쳤답니다.

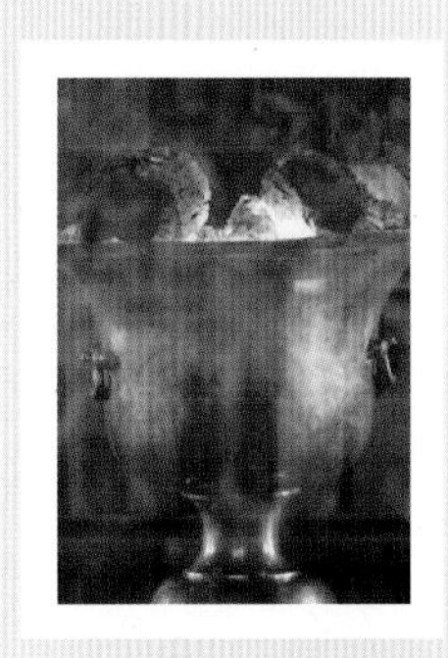

성스러운 불

불의 신전에서 영원히 타오르는 불꽃은 그 후에도 조로아스터교의 제사나 의식에 영향을 주었다.

제 8 장
다시 그리스를 향해!
크세르크세스의 원정 준비와 진군

마라톤 전투 소식이 다리우스 왕에게 전해졌어.

격분한 왕은 자신의 지배 하에 있는 각 도시에

사자를 보냈고
전령

당장 새로운 원정군 편성을 준비하라고 명령했어.
이렇게 다 가져가면

군선, 말, 식량, 수송선 모두
우린 뭘 먹고 살라고…

지난번보다 더 많게 더 강하게!
수송

3년 동안
8
7

페르시아의 지배를 받는 아시아 전역은
전군 동원령
식민지 동원
병력 모집

그리스 진공을 목표로
그리스격침

최정예 병사를 선발하는 등 원정 준비에 분주해졌지.
최정예
매애…

W.C
하지만 한창 원정 준비를 하던 다리우스는

뜻을 이루지 못하고
원정
실패

갑자기 세상을 뜨고 말았어.

아들인 크세르크세스가 왕위를 계승했지.

크세르크세스는 처음에는 그리스 원정에는 별 관심이 없었어.
먼~산
그리스 원정

하지만 그리스 원정을 바랐던 이들이 집요하게 설득했어.

게다가 그리스에서 쫓겨났던 귀족들도 계속 원정을 부추겼어.

결국 크세르크세스도 그리스 원정을 승낙하게 되었어.
크세르 크세스

크세르크세스는 먼저 이집트에
군대를 파견하여

반란을 평정하고

마침내 그리스 원정
준비에 들어갔어.
원정

중신들을 모아 회의를 열었고
중신회의

열변을 토했지.

키루스 왕께서 메디아로부터
패권을 빼앗은 이래

선대의 왕들께서 얼마나 훌륭히
이 나라를 이끌었는지는 다들
잘 알고 있을 것이오.
캄비세스

나 역시 어떻게 페르시아의 국위를
선양할 수 있을까 고심해 왔소.

그리하여 그리스로
진격하여 아테네 놈들이

페르시아와 부왕께
저지른 악행의 대가를
톡톡히 치러 주려
하오.

그들은 사르디스에 침입해서
성스런 신전에 불을 질렀소.

지난번 원정 때
그놈들이 우리에게
한 소행은 절대
잊을 수 없소.
페르시아
바보!
실룩
실룩

나는 아테네를 점령하여 불태워 버리기 전까지는 결코 돌아오지 않을 것이오.

나아가 저들 나라를 평정한다면

하늘 끝까지 우리의 영역을 넓히게 되어
페르시아
절대
지존

태양이 비치는 곳에서는
페르시아

우리나라와 국경을 접하는 나라가 하나도 없게 될 것이오.
천하통일

신하들은 적극 찬성했지.
찬성에 한표!
브라보~

우리나라에 위해를 가해 온 그리스 인들을 정벌하지 않는 것은 말도 안 되는 일입니다.

우리는 이미 그들의 동족을 지배 하에 두고 있습니다

우리는 그들의 전법도 알고 있고
밀집대형

그들 국력의 빈약함도 알고 있습니다.
아테네

전하께서 막강한 군대를 이끌고 출정하신다면

어찌 감히 그들이 대적하려 하겠습니까?

딱 한 사람, 왕의 숙부
아르타바노스만이
원정을 반대했어.
반대

지금 전하께서 원정에
나서려는 상대는 바다와
육지에서 최강의 전력을
자랑하고 있는 민족입니다.
최강전력

선대에 이루어진 원정에서
아테네 혼자서 이를
막아낸 것만 보더라도
페르시아

저들이 얼마나 강한지
알 것입니다.
아테네

신의 번개를 맞아 죽는 것은
작은 동물이 아닌
큰 동물들뿐입니다.

그로써 신은 그들이 지나치게
우쭐거리지 않도록 하십니다.
땅
콰광
덜 덜

이와 같은 이치로 신께서
병사들의 마음에 공포감을 불러
일으키거나
저주의 숲

위협하시면
돌아가라…
그러지 않으면
죽는다…

아무리 대군이라도
궤멸되고
말 것입니다.
뭐야~

크세르크세스 몹시 화를 내며
말을 이어갔지.

정복
만약 내가
아테네 인을
정복하지
못한다면
아테네

선대 왕들을
무슨 면목으로
뵙겠소.

우리가 움직이지 않으면
저들이 움직일 거요.
선빵

우리가 저들의 지배를 받느냐,

아니면 그들의 영토를 페르시아
땅으로 만드느냐는
페르시아땅
들어오지마!
페르시아
아테네

먼저 도전을 하느냐
도전장
기둘려라…
내가 간다…
크세르크세스

받느냐로 결정될 것이오.
텅

먼저 해를 입은
우리가 복수의 칼을
들어야 하오.

하지만 크세르크세스는
숙부의 말이 맘에 걸려
밤새 곰곰이 생각한 끝에

결정을 번복했어.
한 수만
물려 줘~.
다시 놓는 게
어딨어요!

그리스 원정 중지!
아테네
원정
정지

하지만 그날 밤

그리고, 이튿날 밤 왕의
꿈속에서
쿨
쿨
쿨

잘생긴 남자가 나타나

그리스 원정 중단을 나무라는 거야.

또 마음에 걸린 왕은 숙부를 불렀지.
올라 오세요. 어서~.

자초지종을 얘기하고 숙부에게 자신의 옷을 입고

자신의 침상에서 잠을 자 보라고 했지.

꿈이란 낮에 생각했던 것이 알지 못하는 사이에 잠 속에 나타나는 것에 지나지 않습니다.

전하께선 며칠 동안 원정 문제로 내내 고심해 오지 않으셨습니까?

정말 신이 꿈을 통해 지시를 내리신 것이라면
예시

신은 전하의 옷을 입고 전하의 침상에서 자더라도 적의 정체를 아실 것입니다.

분부대로 하겠습니다만 환영이 나타날 때까지 제 의견을 바꾸진 않을 겁니다.

과연 어떻게 되었을까?

자네가 왕의 신상을 걱정하는 척하며 원정을 중지시키려는 자인가?

운명의 흐름을 바꾸려 하다니 용서하지 않을 것이다.

놀란 아르타바노스는

왕에게 가서
사실대로 이야기했지.

결국 두 사람은
확신에 차서 원정을
추진하게 되었어.
치이이…
원정

크세르크세스는 이집트 원정 후에도

무려 4년간을 그리스 원정을 위한
온갖 준비로 시간을
보냈어.
원정준비

마침내 크세르크세스가
직접 대군을 이끌고

원정길에 나섰어.

드디어 2차 페르시아 전쟁이 시작된 거야.

헤로도토스는 이렇게 쓰고 있어.
그동안의 원정군을 모두 합해도
이번 원정군의 규모에는 미치지
못한다.

아시아에 살고 있는 민족치고 원정에
참여하지 않은 민족이 하나도 없고 큰 강을
제외하곤 그들의 식수를 충당하느라
고갈되지 않은 하천이
거의 없을 정도였지.

이번 원정의 다른 점이
또 있었어. 배로 이동했던
이전과는 달리

크세르크세스는 아시아와 유럽을 잇는 헬레스폰토스 해협(지금의 다르다넬스 해협)에 배로 다리를 놓아 병력을 이동하기로 한 거야. 물론 쉽지 않은 어마어마한 공사였지.

압대리
테르메
아이노스
마케도니아
메토네
아비도스
시게이온
헬레스폰토스 해협
라리사
트로이
리디아
테살리아
페라이
아이올리스
에게해
레스보스
테르모필라이
아르테미시온
포카이아
사르디스
테베
플라타이아
사모스
이오니아
살라미스
올림피아
코린트
밀레투스
펠레폰네스 반도
스파르타
2차 페르시아 전쟁
(크세르크세스 원정로)
육군
해군

공사가 끝나 다리가 개통되자마자 폭풍이 불어와 완성된 다리가 파괴되기도 했어.
휘이잉
개통식

이 소식을 들은 크세르크세스는 바다에 300대의 채찍 형을 가하고

족쇄 한 쌍을 바다 속으로 던져 넣게 했지.
족
쇄

드디어 군대가 헬레스폰토스 부근에 이르렀어.
야영지

왕은 중신들을 소집했어.
중신회의
늦으면 죽는다

부디 이번 전쟁에 최선을 다해 주시오.

우리가 공격할 상대는 용감한 민족이며
?

그들을 제압하면 아무리 천하가 넓다 해도 우리에게 맞설 군대는 더 이상 없을 것이오.

이제 페르시아를 다스리는 신들께 기원을 한 후 저 땅으로 건너가도록 합시다.

1만의 페르시아 군이 다리를 건너는 것을 시작으로 원정군은 7일 밤낮에 걸쳐 바다를 건넜어.

그 모습을 지켜보던 헬레스폰토스 부근에 살고 있던 사람이 이렇게 말했대.

제우스 신이시여, 그리스를 파멸시키시려면 어찌 페르시아 인의 모습을 하시고

크세르크세스라 이름을 바꾸셔서 세상의 모든 인간을 끌고 오셨습니까? 당신이라면 이러지 않으셔도 바라는 대로 하실 수 있을 텐데요.
그 규모가 어느 정도였는지 짐작이 가지?

바다를 건너 전진을 계속하던 군대는 크세르크세스의 명령에 따라 트라키아의 한 평야에 이르러 병력을 점검했어.
주둔지
흑해
트라키아
사르디스

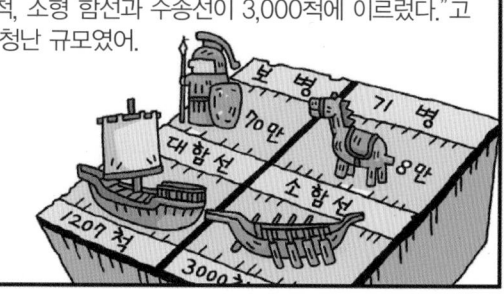

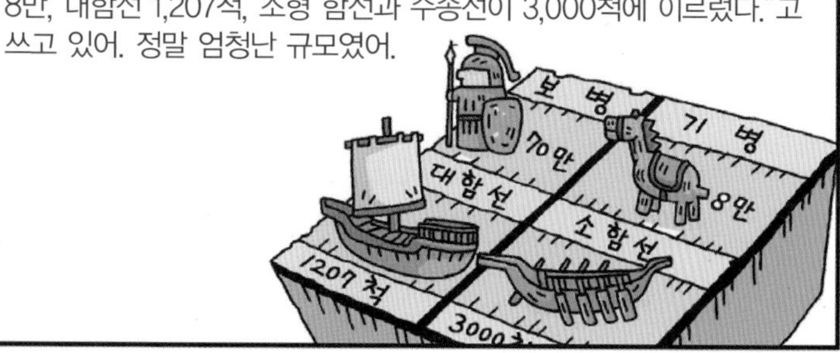
헤로도토스는 "아무도 기록을 남기고 있지 않아서 정확히는 모르겠지만, 육상 부대(보병) 70만, 기병은 낙타와 전차를 제외하고도 8만, 대함선 1,207척, 소형 함선과 수송선이 3,000척에 이르렀다."고 쓰고 있어. 정말 엄청난 규모였어.
보병
70만
기병
8만
대함선
1207척
소함선

더구나 페르시아 군은 행군하는
도중 현지인들로 병력 충원을 계속
하여 점점 규모가 커졌어.

페르시아가 세계 제국이었던 만큼 군대의 구성도 세계적이었어.

《역사》에 나타난 구성을 볼까?
역 사
헤로도토스

일단 보병으로 페르시아 인,
메디아 인, 히르카니아 인,
아시리아 인, 박트리아 인,
소그디아 인, 간다라 인….

이 외에도 기병이 있는데….
기병?

이제 그만하자고?
너무
어려워.

아, 함선을 끌고 온 민족도 있어.

제발 그만하자고?
한마디만!

페르시아 군은 기병을 중심으로
한 육군이 주력이었기에
보병
페르시아

해군은 주로 페니키아나 이집트 등의
이민족들이 주축이었다는 것은
짚고 넘어가야 해.
이집트
페니키
페니키아
페니
페니키아

군대를 점검하고 난
크세르크세스는

원정에 참가하고 있었던 스파르타 출신
데마라토스를 불렀어.

잠깐 데마라토스에 대해
설명하자면

그는 아버지의 뒤를 이어
스파르타의 왕이 되었는데

또 다른 스파르타 왕인 클레오메네스와
사이가 아주 나빴어.

클레오메네스는 데라마토스가
선왕의 친아들이 아니라고
모함을 했어.

심지어 델포이의 무녀까지
매수하여

선왕의 친아들이 아니라고
신탁을 내리게 했지.
신
탁

덕분에 그는 스파르타의 왕위에서
쫓겨나서
페르시아
망 명

페르시아
다리우스 왕에게
가서 그의 신하가
되었던
거야.

크세스크세스가 데마라토스에게
물었어.
내가 보기엔
전 그리스 인뿐만
아니라

서방에 거주하는 모든 민족이
한꺼번에 몰려와도 내 공격을
견디지는 못할 것
같은데

그대는
어떻게
생각하오?

전하께선 진실을 듣고 싶으십니까? 마음에 드는 대답을 듣고 싶으십니까?

물론 진실이오.

그리스 인은 용기를 몸에 익혀 가난에도 좌절하지 않고

독재에도 굴복하지 않았습니다.
독재

모든 그리스 인들이 훌륭하지만 단지 스파르타에 대해서만 말씀드리자면
스파르타

그들은 절대 예속을 받아들이지 않을 것입니다.
페르시아

반드시 전하께 맞설 것입니다. 병력을 묻지 마십시오. 1천 명이 되더라도, 혹 그보다 더 적더라도 상관 않고 싸울 것입니다.
스파르타

그들은 법을 섬깁니다.
法

그들의 법은 결코 적에게 뒷모습을 보이지 말고
전 무 퇴..
임

끝까지 자기 자리를 지키며 적을 제압하든지 자신이 죽든지 하라는 것입니다.
항 쟁
결사항쟁

크세르크세스는 그 말의 의미를 곰곰이 생각했어.
?

트라키아를 지난 원정군은 그리스의 수많은 도시와 섬들을 지났지.

마케도니아
트라키아
아토스반도
헬레스폰토스 해협
트로이
에게 해
테르모필라이
플라타이아
아테네
스파르타

수많은 그리스 인들이 원정군에
강제로 편입되었어.
원정군!!
강 제 편 입

뿐만 아니라 원정군이 지나는
길에 있던 그리스 인들은
원정군의 식사를 책임져야
했지.

부대가 통과하게 된다는 소식을
왕의 전령이
전하면

도시 안에 있는 곡물을 분배하여
수개월에 걸쳐 보리와 밀을 빻아
가루로 만들고

품질 좋은 가축을 사들여
사육하고

식탁용 집기 일체를 미리 준비해야 했어.
사용할
식 기!!

오죽하면 “저녁을 두 번 먹는
습관이 없음을 감사하라.”는
이야기를 했을까. 그 비용이 너무
어마어마해서 저녁 식사뿐만 아니라
아침 식사까지 준비해야 했다면
완전히 거덜 났을 거래.

크세르크세스의 원정은
명목상으로는 아테네 정벌이었지만
정 복

사실은 그리스 전역의 정복을 목표로
하고 있었지.
그리스
정복!!

오랫동안 페르시아가 전쟁 준비를 해
오고 있다는 것은 이미 알고 있었지만
전쟁
준비

그리스 도시들의
속셈은 제각각
이었어.
도망
갈까?
눈치껏
하는 거야.
싸워서
물리치자.

모두 똘똘 뭉쳐서 페르시아와
싸운 건 물론 아니었어.
난 자장.
난
볶음밥.
난
짬뽕.
난 만두.

어떤 국가들은 오히려
페르시아 편에 서기도 했고
어때
페르시아 인
같지?

또 어떤 국가들은 일찌감치 싸우기를
포기하고 페르시아의 요구를
고분고분 듣기도
했지.
개처럼
짖어 봐.
멍 멍

때론 모호한 중립으로
결국 페르시아를 도와주기도 했고.
중 립

아테네는 전쟁에 앞서 델포이로
부터 무서운 신탁을 미리 받았어.

집도 산도 버리고 세상
끝으로 도망쳐라.
가엾은 자들아!
어찌 여기
앉아 있느냐?

도시는 불타고

전차를 몰고 달려오는 무서운
군신의 발 아래 짓밟히리라.

무수한 신전들이 공포에 떨며 식은땀을
흘리고 천장에는 검은 피마저 내리고
있다.

제우스께서는 나무 성채는 무너지지
않은 요새로 남겨 놓아 너희와 너희
자식들을 구원하리니

너희는 몰려오는 군을
앉아서 기다리지 마라
등을 돌리고 퇴각하라

오! 성스러운 살라미스여. 곡물이
파종될 때, 혹은 거두어들일 때
그대는 여자들의 자식들을 없애게
되리라.

물론 도시 전체가 공포에 휩싸였지.

하지만 아테네의 실력자
테미스토클레스는

나무 성채란 배를 말하는 것이므로

아테네는 해전을 준비해야 한다고
주장했어.
해전

그전에 이미 아테네는
테미스토클레스의 주장으로
함선 200척을 만든 적이
있었어.

언젠가 광산으로부터 많은
금이 쏟아졌거든.

이 돈을 시민 한 사람당 얼마씩 나누어
가지자는 의견이 대부분이었지만
한 사람씩
가져가면 모두
만족할 거야.
good~

테미스토클레스는 전쟁에 대비하여
함선을 만드는 비용으로 쓰자고
설득했지.
페르시아

그리스 국가들 사이도
별로 좋은 건 아니었어.
스파르타
아테네

자기들끼리
전쟁도 했고
아테네
스파르타

시기와 알력도 심했지.
알력다툼

하지만 무엇보다 중요한 건
페르시아의 침략으로부터
페르시아

그리스 세계를 수호하는 데
뜻을 같이 하고

자기들끼리는 서로
화해하기로 했어.

그리스
연합군 창설
그리스 연합군이
만들어진 거야.

하지만 역시 육군은 스파르타
스파르타

해군은 아테네
아테네

스파르타
아테네
두 나라가 그리스 연합군의
대들보였지.

페르시아와 그리스!

다리우스 왕 때

이미 두 세력은
마라톤에서 전투를
치른 적이
있지만

이건 사실 페르시아와 아테네
만의 싸움이었지.
아테네
페르시아

이제 바야흐로 동양과 서양, 두 세력의
용호상박

전면 충돌의 시간이 점점 다가오고 있었던 거야.

이제부터는 이 전쟁의 대표적인 전투를 중심으로 여행을 할 거야.
대표적 전투

많은 세월이 지나

우린 흥미진진한 여행으로 이 전투를 살펴보지만
전투

전쟁은 동서고금을 막론하고 인간이 인간을 죽이고

또 인간이 피땀 흘려 이루어 놓았던 많은 것들을 파괴하는 끔찍한 일이라는 것!

반드시 없어져야 할

악이라는 것을

우리 친구들은 잊지 않기를 바라!
38선
분단의 아픔

자! 먼저 페르시아 대군과 그리스 연합군이 육지에서 맞붙은 전투

테르모필라이에서 출발하자고!
테르모필라이

《역사》 이전의 그리스 세계

미케네 유적지
펠로폰네소스 반도에 있던 선사 시대의 그리스 도시. 호메로스는 미케네를 '금빛 찬란한 도시' 라고 찬양했다.

소아시아와 그리스 반도 사이의 바다 에게 해. 이곳에서 고대 유럽 문명이 시작되었어요. 에게 문명이 바로 유럽 문화의 뿌리인 그리스 문명의 모태가 되었지요. 에게 문명은 크레타 섬을 중심으로 한 크레타 문명, 그리고 그리스 본토를 중심으로 한 미케네 문명으로 분류할 수 있어요.

그리스에 처음 정착한 민족 역시 미노아 인이었어요. 이들은 청동기를 사용하였고 크레타 섬에 찬란한 도시 유적을 남겼어요. 그리고 에게 해를 중심으로, 발달된 오리엔트와 아직 미개한 상태에 머물러 있던 유럽 인들 사이에서 상업 활동을 벌이며 발전했어요.

그런데 기원전 1900년경부터 북쪽에서 이오니아 인, 아이올리아 인 등이 그리스 본토로 몰려오기 시작했어요. 기원전 1600년 무렵에는 그리스 본토를 모두 차지하였지요. 이들에 의해 미케네가 세워졌어요. 미케네 인들은 기원전 1400년경, 크레타 섬을 정복했어요. 궁전은 파괴되었고 주민들은 흩어졌지요. 이들이 이룩한 문명을 미케네 문명이라고 해요. 이렇게 해서 에게 문명의 중심지는 그리스 본토로 이동했어요. 훗날 트로이 전쟁을 주도한 나라가 바로 이 미케네예요.

기원전 1200년경 이번에는 도리아 인이 북쪽에서 그리스 본토로 쳐들어왔어요. 그들은 철제 무기를 가지고 있었지요. 이때부터 약 300년

동안은 기록이 거의 없어, 이 시기를 보통 '암흑시대' 라고 불러요.

암흑시대가 끝나 가는 기원전 8세기를 전후하여 그리스에서는 대토지를 소유한 귀족들이 권력을 장악했어요. 이로써 왕정이 무너지거나 쇠퇴하고 귀족정이 시작되었어요. 각 지역의 세력을 잡은 귀족층은 방어에 편리한 곳(아크로폴리스)을 골라서 그 주위에 마을을 만들었고 이런 곳에 사람들이 모여 살기 시작했어요. 폴리스가 성립한 것입니다.

그로부터 기원전 500년경까지 인구가 증가하고 귀족들이 많은 토지를 소유하게 되면서 시민들이 가질 수 있는 토지가 부족해졌어요. 그래서 그리스 인들은 지중해와 흑해 연안 곳곳으로 진출하여 식민 도시를 건설했어요. 그들의 영역은 소아시아의 이오니아와 에게 해의 여러 섬, 시칠리아, 프랑스 남부, 에스파냐에까지 이르렀어요.

특히 이오니아 지방은 이전부터 그리스 인들의 무대였어요. 이전에 도리아 인들이 침입하자 그리스 본토에 살고 있던 그리스 인들은 도리아 인들과 섞여 그들의 지배를 받으며 살아가기도 했지만, 많은 그리스 인들은 다른 곳으로 이동했어요. 대표적인 그리스 인들이 이오니아 인들이었는데, 이들은 주로 소아시아의 해안이나 섬으로 이동하여 도시국가를 건설했어요. 그래서 이 지방을 이오니아 지방이라고 부릅니다.

그리스 본토보다 이오니아 지방이 먼저 그리스 세계의 중심으로 떠올랐어요. 이 지방은 동양과 서양이 만나는 지역으로 지중해 무역의 중심지였지요. 그래서 이오니아 지방의 폴리스들은 경제적으로 풍요했고, 선진적인 오리엔트 지역과 바로 이웃하고 있어 그리스 본토의 국가들보다 앞질러 발전했던 것이에요.

참주의 시대

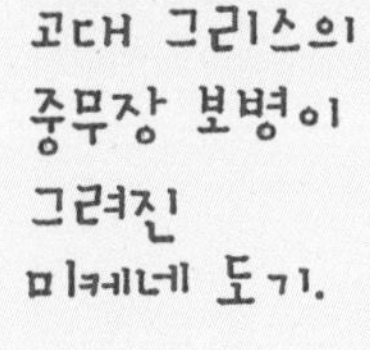

고대 그리스의 중무장 보병이 그려진 미케네 도기.

참주(僭主)는 그리스 어로 tyrannos입니다. 이 단어는 영어의 독재자, 압제자, 폭군이라는 뜻의 tyrant의 어원이 되었지요. 사실 참주는 부정적인 의미를 담고 있지만, 왕을 부르는 호칭으로 쓰이기도 했어요. 일반적으로는 무력을 써서 비합법적인 방법으로 등장한 지배자를 뜻하지요.

코린토스의 페이안드로스, 사모스의 폴리크라테스, 시키온의 클레이스테네스, 아테네의 페이시스트라토스 등이 이 시대의 대표적인 참주였어요.

소아시아의 그리스 인들이 만든 도시의 참주들은 대부분 리디아나 페르시아의 든든한 후원을 받았어요. 이 도시들을 지배하고 있는 리디아, 페르시아의 입장에서는 자신들의 말을 잘 듣는 참주를 통해 영향력을 끼치는 게 유리했기 때문이에요.

그리스에서 참주는 대략 기원전 660년경부터 각지에서 등장해요. 이 시기는 귀족들의 지배에서 민주정으로 넘어가는 과도기에 해당합니다.

이전에는 전쟁 비용을 댈 수 있는 귀족들이 전차 중심의 전쟁에서 가장 큰 역할을 하면서, 정치적인 실권을 장악하고 있었어요. 하지만 무역과 상공업 활동으로 부유해진 농민들이 스스로 무장을 하여 중무장 보병으로서 전투에서 중심적 역할을 하게 되었어요. 이제 시민들은 귀족들과 대립하여 자신들의 발언권을 높이게 되

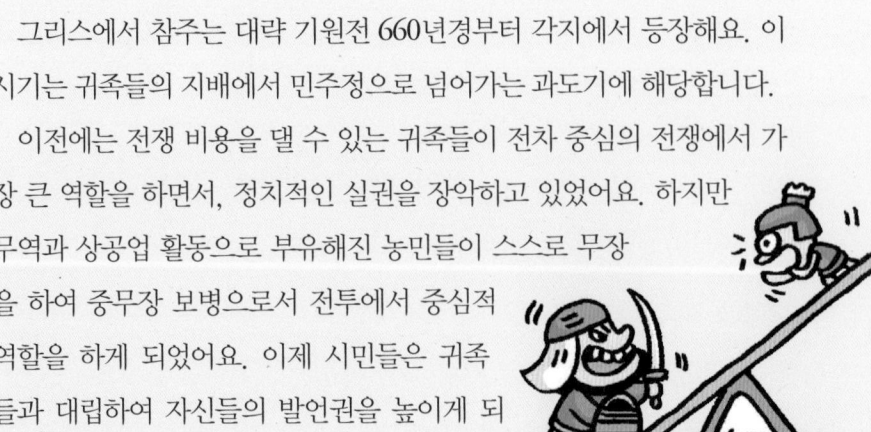

수의
열세

었어요. 바로 이런 민중의 지지를 받아 무력으로 권력을 잡은 이들이 참주들이었어요.

참주들은 대부분 귀족 출신이었지만, 전쟁에서 공을 많이 세웠거나 올림피아 경기에서 우승한 평민들도 있었어요. 참주들은 대부분 민중의 지지를 받아서 정권을 장악했기 때문에 대체로 귀족과 대립하는 평민을 보호해 자신의 세력 안정을 꾀하곤 했어요.

참주들 중에는 민중에 의해 쫓겨난 경우도 많았지만, 통치 기간에 상공업과 문화가 발달하여 후세에 '황금시대' 로 불릴 정도로 후한 평가를 받은 아테네의 페이시스트라토스 같은 사람들도 있었어요.

페이시스트라토스는 반대파 귀족을 추방하고 상공업을 장려하는 한편, 시민들의 세금 부담을 줄여 주었어요. 또한 농촌에 재판관을 설치하고 가난한 농민들을 보호하는 데 힘썼지요. 이 시기에 만들어진 아테네의 도기도 품질이 아주 좋아져서 시장에서 가장 인기를 끌었어요. 그의 과감한 개혁 정책은 귀족들의 권한을 약화시켜 귀족들의 큰 반발을 샀지만 시민들에게는 큰 환영을 받았지요.

그가 사망하고 그의 아들 히파르코스와 히피아스가 정권을 계승하였지만 민심을 잃고 추방됨으로써, 아테네에서의 약 50여 년에 걸친 참주 정치는 막을 내렸어요. 훗날 히피아스는 페르시아의 앞잡이가 되어, 조국 아테네를 치기 위해 페르시아 군대를 마라톤으로 안내하기도 했어요.

고대 아테네의 도기.

참정은 폭정으로 인해, 당대는 아니더라도 세습된 후 2대째에는 무너지는 경우가 대부분이었어요. 이윽고 정치는 실질적으로 시민들이 주인이 되는 민주정으로 이행해 갔어요. 특히 참주의 출현을 방지하기 위해 아테네에서는 도편 추방제가 만들어졌답니다.

제9장
여행자들이여, 스파르타 인에게 전하라!
테르모필라이 전투

우리 편보다 엄청 수가 많은
군대가 쳐들어왔을 땐

어디에서 싸워야 할까?

만일 여러분이 군대의
지휘관이라면?
?

일단 지형지세를 살펴봐야지.

가릴 것도, 막아 줄 것도 없는
넓은 평야 지대에서

정면 승부를 벌이면 기적이
일어나지 않는 이상
수가 적은 쪽이
불리하겠지.

그러니 현명한 지휘관이라면 당연히 적이 한꺼번에 달려들기 어려운
좁은 길목을 막고 싸우는 방법을 택할 거야.

페르시아
그리스
페르시아 대군을
맞이한 그리스
육군이 그랬어.

지난 번 마라톤 전투와는 비교할 수
없을 정도로 페르시아 군의
수가 많았거든.

그리스 군은 테르모필라이라는
산마루에 진을 치고

페르시아 군을 맞아
싸울 준비를 하고 있었어.

그곳은 아티카 지방과 가까운
아주 중요한 길목이고
아티카

매우 좁아서
좁은 길

한꺼번에 대군이
몰려들기는
어려운 길이었거든.

게다가 말을 탄 페르시아 기병은
아주 사나웠는데

산등성이에 있다 보니
기병을 이용해서
공격하기도
어려웠지.

수군은 아르테미시온 지역에서
페르시아 군을 맞아 싸우기로
했어.

일단 테르모필라이와 아르테미시온은
아주 가까워서 서로의 정황을 쉽게
알 수 있으니 더 좋았지.

해전은 다음 장에서
이야기하도록 하고

이번 장에서는 이
테르모필라이 전투
얘기를 하자.
테르모필라이

이곳을 지키고 있던 그리스 연합군은
겨우 3,400명쯤 되었어.

이 중에서 가장 강한 부대는 역시
스파르타 군 300명이었지.

다른 샛길의 길목을 지킨
사람들도 1,000명이 좀 넘었어.

후에 묘비명에도
나왔지만 페르시아 군의
숫자는 어마어마하게
많았어.
용감한
페르시아 군
여기 잠들다

이곳에서 죽은 페르시아 군
전사자만 해도 2만 명이나
되었으니까.
2만

스파르타는 아폴론에게 제사 지내는
기간이었고

이 제사 직후에는 올림픽이
시작되었기 때문에 많은 병사들을
보내지는 못했어.

왜냐하면 이 제사 기간 동안에는
출정이 금지되어 있었거든.
군막사
출전
금지

그 기간이 지나면
본격적으로 군대를
보낼 생각이었지.

게다가 그리스 군은 전투가 그렇게 빨리 벌어질 줄 몰랐던 거지.
땡

그리스 군은 페르시아의 대군이 산마루 쪽으로 점점 가까이 오자 겁이 나기 시작했어.

아무리 용맹스런 그리스 군이지만 수적으로 너무 차이가 났으니까.
수의 열세

이 군대의 최고 지휘관은 당시 스파르타의 왕이었던 레오니다스였어.

레오니다스는 일단 그리스의 모든 도시에 현재의 병력으로 페르시아 군을 물리치기는 어렵다며 구원을 요청했어.
구원요청

한참 그리스 군이 의논을 하고 있을 때

페르시아의 크세르크세스가 그리스 군의 사정을 살피기 위해 척후병* 한 명을 그리스 군 진지로 살짝 보냈지.
첩사

성벽 뒤의 모습을 살피긴 어려웠고 마침 성벽 바깥에 배치되어 있던 스파르타 부대의 모습만 볼 수 있었는데

이들이 죽느냐 사느냐 하는 큰 전투를 코앞에 둔 사람들이라고는 믿겨지지 않았어.

***척후병** – 적의 형편이나 지형 따위를 정찰하고 탐색하는 병사.

병사들이 하나도 긴장하는 것 같지도 않고
푸하하

웃통을 벗어던지고 운동 연습을 하거나

머리를 빗고 있었던 거야.

척후병은 돌아와 낱낱이 고했지.

보고를 들은 크세르크세스는 도무지 영문을 알 수가 없어서 데마라토스를 불러 물어봤어.

저자들은 진입로를 지키러 왔으니 그 임무를 완수하려는 것이지요.

그들은 생사를 건 모험을 앞두고 머리를 손질하는 관습이 있습니다.

만약 전하가 저자들과 아직 스파르타 본국에 있는 나머지 부대만 쳐부수면 더 이상 전하에게 덤빌 놈들은 없을 겁니다.

지금 전하의 상대가 그리스의 수많은 나라 중 가장 훌륭한 나라이며 가장 용감한 군대이기 때문입니다.

크세르크세스는 도무지 믿기지 않았지.

한심한 놈들, 저 정도의 수를 가지고 감히 내 군대와 싸우겠다고?

크세르크세스는 나흘 동안을 기다렸어.

페르시아의 대군을 본 그리스 군이 분명히 겁을 먹고 줄행랑을 칠 거라 생각하면서
아~함
오늘쯤이면 다 도망 갔겠지!

그런데 5일째에 접어들어서도 전혀 도망갈 기색을 보이지 않는 거야.
크르르르르…
찍-

결국 화가 난 왕은 공격을 명했지.
건방진 놈들 다 쓸어버려!

양쪽 다 많은 전사자가 생겼어.

더 많이 다치거나 죽은 건 페르시아 군이었지만

불리한 건 수적으로 밀리는 그리스 군이었어.
페르시아

그리스 군도 많은 전사자가 생겼지.

하지만 차례로 새로운 병사들로 교대해 가며 전혀 뒤로 물러서지 않는 거야.
임무교대…

하루 종일 전투는 계속되었어.

약이 오른 페르시아 왕은 자신이 늘 불사(不死)부대라고 부르던 페르시아 부대를 보냈는데도 소용이 없었어.
不死

너무 좁고 제한된 통로에서 싸움이 계속되는 데다가
탁

페르시아 군의 창이 그리스 군의 창에 비해 짧았기 때문이었어.
아야!

특히 스파르타 군의 싸움 능력은 놀라울 정도였는데

거의 페르시아 군을 요리하는 수준이었지.

적에게 등을 보이며 도주하는 척 집단적으로 후퇴했다가
도~망!!

페르시아 군이 그들을 추격해 가면

스파르타 군은 적이 가까이 다가오기를 기다렸다가
지금이다!

불시에 방향을 바꿔 적을 공격하는 거야.
유-턴

일명 후퇴 전술이지.
이익
끼

스파르타 군대는 손발이 척척 맞았고
탁

얼마나 많은 페르시아 병사들이 쓰러졌던지
추풍 낙엽...

이를 멀리서 지켜보던 페르시아 왕은 자기 군대가 자꾸 당하니까

화가 나고 걱정이 되어서 앉아 있던 의자에서 세 번이나 벌떡 일어섰다고 해.
벌떡

다음 날도 상황은 같았어.

워낙 적은 수인데다가 전날의 전투로 그리스 군 역시 많은 희생이 있었으니 더 이상 저항하지 못할 거라고 생각했지만

그리스 군은 나라별로 교대로 싸우며 조금도 물러서지 않는 거야.

페르시아 군은 또 후퇴를 해야 했지.
작전상 후퇴다!

페르시아 왕이 무슨 뾰족한 수가 없을까 고민에 빠졌어.

그런데 그때 한 그리스 인 남자가 와서 왕에게 말했어.

산 속에 테르모필라이로 가는 샛길이 있다고 말이야. 말하자면 그리스 군이 지키는 길목을 돌아 산 위에서

다시 내려오는 수가 있다는 거야.
페르시아
그리스

그 사람은 페르시아 왕이 내릴 큰 상금에 눈이 어두웠던 거지.

어느 나라나 민족을 팔아 자기 잇속만 챙기는 반역자들이 있다니까.
친일파 명단공개
대한민국

나중에 그 남자의 목에 그리스 국가들이 현상금을 걸었고
현상 수배범

결국 그는 비참한 죽음을 맞이했어.
비참한 최후

헤로도토스는 그 이름을 꼭 기록으로 남겨 후세들에게 알리고 싶어 했어.

그 배신자의 이름은 에피알테스야.
에피알테스

한편 크세르크세스는 매우 기뻐하며 이들이 밀려올 무렵 날렵한 부대의 출동을 명했어.

밤새 부대는 샛길로 행군하여

날이 밝을 무렵 부대는 산등성이의 가장 높은 곳에 이르렀어.

산이 온통 떡갈나무로 뒤덮여 있어서 페르시아 군이 가까이 다가오는 것을 감쪽같이 몰랐던 거야.

페르시아 군이 아주 가까이 왔을 때에야

그들 발밑에서 나뭇잎 바스락거리는 소리가 들렸고
바스락

그리스 군들이 벌떡 일어나 보니 적군이 떡하니 길을 가로막고 있었지.

깜짝 놀랐지만 그리스 군이 재빨리 창을 쥐고 싸울 자세를 취하는데

페르시아 군은 그들을 거들떠보지도 않고 전속력으로 산을 내려갔어.
우르르르…

이때 테르모필라이에 진을 치고 있던 그리스 인들은 점술사로부터

새벽과 함께 죽음이 찾아오고 있다는 경고를 받았어.

그리고 페르시아 군이 우회 작전을 펴고 있다는 정보도 들어왔지.
우리 정보원의 말에 따르면

끝까지 여기서 싸우자, 아니다 그건 무모하니 후퇴하자, 둘로 의견이 갈라져 한참 토의를 벌였어.

그리스 군은 결국 부대를
해체하기로 했어.
해~산

한쪽은 나라별로 분산 철수하여
자기 나라로 돌아갔고
철군

지휘관인 레오니다스와 스파르타인
전원을 포함한 나머지 부대는
그곳에서 싸울 준비를
했어.

그런데 자기 나라로 돌아간
부대에 대해서는 스파르타 왕
레오니다스가 일부러 돌려보냈다는
이야기도 있어.

어차피 자기들은 여기서 물러날 수 없고
끝까지 싸우다 죽을 테니 나머지
동맹군들이라도 살려야겠다는 생각으로….
결사 항쟁

이 말에 헤로도토스는 전적으로
동의했어.

이 전쟁이 일어났을 때
델포이의 무녀가
스파르타의
국토가 페르시아
군에 의해
쑥대밭이 되든지
…
아니면 스파르타의 왕이 살해될 거라고
예언했거든.
도
아니면
개야.

레오니다스는 자기만 여기서 죽으면
스파르타는 계속 번영을 누릴 수
있고

자신의 이름도 길이 남게 되리라
믿었겠지.
나는 가죽을
남기고….

아침이 되자

페르시아 군은 여유만만하게 천천히
공격을 개시했어.

레오니다스가 이끄는
그리스 군은 죽음을 각오했지.
결사항쟁

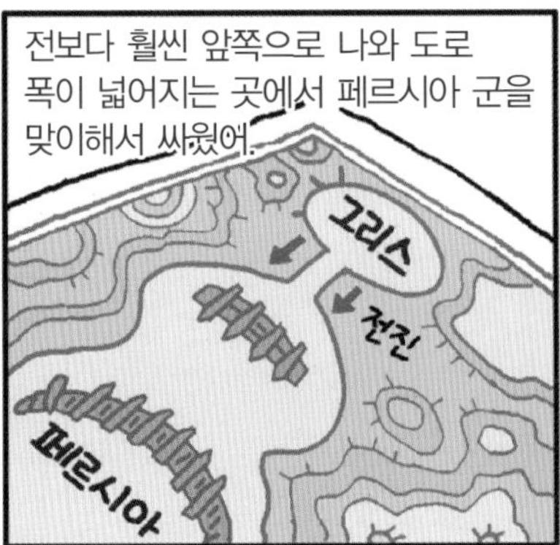
전보다 훨씬 앞쪽으로 나와 도로
폭이 넓어지는 곳에서 페르시아 군을
맞이해서 싸웠어.
그리스
전진
페르시아

그전에야 성벽 수비에 주력했지만
이제는 그럴 필요가 없었지.

페르시아 군의 전사자 수는
더욱 늘어 갔어.
페르시아

용맹스러운 스파르타 군이 무서워 자꾸
뒤로 물러서려는 군대를

부대장들이 뒤에서 채찍으로
내려치면서 앞으로 몰아대니
어땠겠어?
철썩

바다 속에 떨어져 죽은 자

산 채로 동료들의
발에 짓밟혀 죽은
자도 많았지.
압사

물론 가장 큰 이유는 죽음을 각오하고
있는 그리스 군이 마지막 남은 힘을 다해
싸웠기 때문이었어.

그리스 군의 창은 대부분
부러졌고

이번에는 칼을 휘두르며 페르시아 군을
쓰러뜨렸지.

스파르타의 영웅 레오니다스는
용감하게 싸우다 결국
쓰러졌어.

물론 페르시아의 이름 있는
많은 이들도 전사했지.

다리우스 왕의
두 아들도
여기에 속했어.

페르시아와 스파르타 양군 사이의
치열한 전투는 계속되었어.

그때 산중에 난 샛길로
우회해서 산을 내려오고
있던 페르시아 부대가
도착했어.
배후공격
페르시아
페르시아 대군
그리스

이제 그리스 군은 점점 밀렸지.

칼마저 부러지고
단검이 있는 자는
단검으로

그것도 없는 자는 손과
이로 싸웠어.

페르시아 군의 화살은
소나기처럼 쏟아졌고

결국 포위 공격해 들어오는 페르시아
군에게 남은 병사들도 하나 둘
쓰러져 갔어.

그 용사들의 전투가 얼마나
눈부셨던지

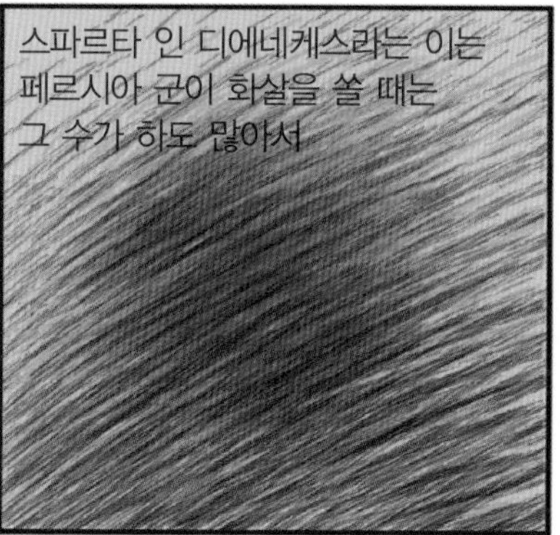
스파르타 인 디에네케스라는 이는
페르시아 군이 화살을 쏠 때는
그 수가 하도 많아서

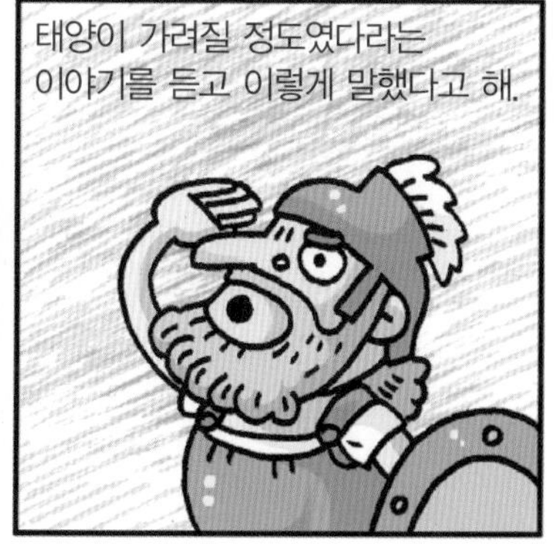
태양이 가려질 정도였다라는
이야기를 듣고 이렇게 말했다고 해.

그거 참 우리에게 즐거운 소식이네.
그들이 태양을 가려 준다면 우리는
그늘에서 싸울 수 있겠네.

테르모필라이 전투에서
싸우다 죽은 병사들의
묘비에는 다음과 같은
비명이 새겨져 있지.

옛날 이 땅에서
300만의 군대와 맞서
싸운 펠레폰네소스
4천의 병사
잠들다.

스파르타 군만을 위한
묘비명도 있어.
스파르타
전용묘지

여행자들이여!
가서 스파르타 인에게
전하라! 우리가 그들의 명을
수행하고 여기 있다고!

한편 마지막 전투에서 300명 중
딱 두 명만이 살아남았는데

눈병 때문에 왕의 허가를 얻어
미리 빠져나왔다가 살아난
한 사람이
휴가

스파르타로 돌아오자 사람들은 그를
'겁쟁이 아무개' 라 부르며
겁쟁이는
돌아가!

철저히 따돌렸어.

그는 괴로워하다가 결국 다음에 이어지는
플라타이아 전투에서 가장 용감히 싸워
오명을 씻었지.

또 한 사람은 전령으로 파견되었다가
살아남은
사람인데
전령

스파르타로 귀환한 후
치욕을 견디지 못해 목매어
죽었다고 해.

스파르타 인들이 비겁한 사람을 얼마나 싫어했는지, 전쟁터에서의 명예를 얼마나 소중히 여겼는지 알 만하지?
명예

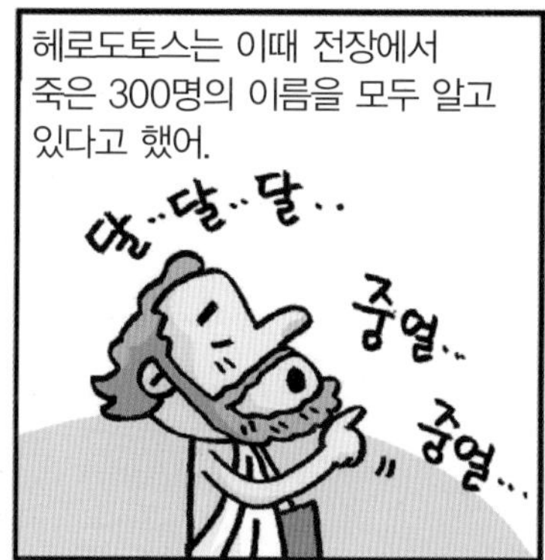
헤로도토스는 이때 전장에서 죽은 300명의 이름을 모두 알고 있다고 했어.
달··달··달···
중얼···
중얼···

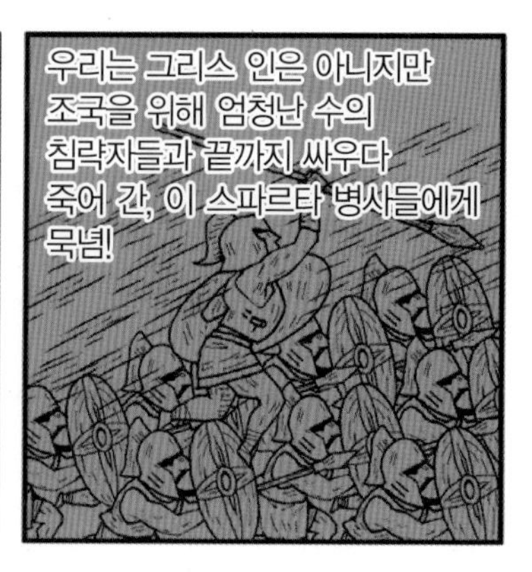
우리는 그리스 인은 아니지만 조국을 위해 엄청난 수의 침략자들과 끝까지 싸우다 죽어 간, 이 스파르타 병사들에게 묵념!

한편 전투가 끝나자 크세르크세스는 데마라토스를 불러 물어봤어.
그대의 말에 거짓이 없었음을 인정하오.

모든 것이 그대의 말대로였소. 그런데 본국에 있는 나머지 스파르타 인의 수가 얼마나 되며

그 중에서 이번의 스파르타 군만큼 싸울 수 있는 자는 도대체 몇 명 정도 되오?

약 8,000명 정도 되고, 이들보다는 조금 못하지만 그 밖의 스파르타 병사들도 훌륭합니다.

참! 여기서 내가 들은 뒷이야기를 살짝 해 줄게.
뒷이야기

그리스 제국 중 페르시아 왕이 그리스를 칠 준비를 하고 있다는 소식을 제일 먼저 안 것은 스파르타였어.
전쟁
페르시아

그래서 제일 먼저 델포이에 사절을 파견해 신탁을 받았지.

그런데 그 정보를 알려 준 사람이 누군지 아니?
그리스

바로 데마라토스였어.

데마라토스가 왜 그랬을까?
스파르타를 구하기 위해? 아니면
괴롭히기 위해?
보복
애국심
?

데마라토스가 아무리
자기를 내쫓은 조국에
대한 배신감 때문에
스파르타

복수심에 불타는 사람이었을지라도
스파르타

마음 밑바닥에는 조국이 처절하게 짓밟히는
건 바라지 않았을 거야.

이 테르모필라이 전투는 크세르크세스의 대군과 그리스 육군이
제대로 맞붙은 최초의 전투였다고 할 수 있어.

아직 그리스 연합군의
전열이 제대로
갖추어지지도
않은 상태에서
비교조차 할 수 없는
대군을 맞아,
이길 가능성이
거의 없는
싸움에서도
그리스 인들은
끝까지
싸웠지.

생명이 다할 때까지….

결국은 패배하고 한 명도 남김 없이
희생되었지만

이들의 눈부신
투쟁은
투쟁

그리스 전역에 전해졌고 많은
그리스 인들의 가슴을
울렸어.
뿌우-
뿌우-
뿌

마지못해 동원된
페르시아 군대와는 달리

그리스 군은 페르시아의
노예가 되기를 거부하고
노예

스스로를 지키고, 소중한 자유를
지키겠다는 의지에 가득 차
있었으니

이어지는 전투에서 또 다른 기적들을
낳게 되지.
기적

헤로도토스도 이 전투를
기록하면서 곳곳에 같은
그리스 인으로서의
자부심을
드러냈어.

오죽하면 그때 희생된 300명의
이름을 일일이 다 기억하고 있다고
했겠니?
달…
달…
달…

헤로도토스가 이 전투의 주력 부대였던
스파르타와 같은 도리아 인이라는 걸
생각하면
도리아
더 큰 감동을
받은 것도
당연하겠지?

테르모필라이 전투에 대해선
이 정도에서 끝을 맺고
탁
테르모필라이

이어서 테르모필라이에서
페르시아 대군이
발이 묶인 동안
테르모
필라이

전열을 정비한 그리스 인들이 어떻게

페르시아 대군을 물리칠 작전을
세우고 실제 싸웠는지 알아볼까?
작전상황판

싸움에서 물러섬이 없었던 스파르타 인

레오니다스
스파르타의 왕으로, 페르시아 전쟁 때 그가 테르모필라이에서 압도적으로 우세한 페르시아 군을 맞아 용감히 싸운 이야기는 그리스 사람의 용기를 나타내는 전설이 되었다.

스파르타는 기원전 10세기경 북쪽에서 내려온 도리아 인이 건설한 도시 국가입니다. 스파르타 인들은 그리스 본토를 정복하는 과정에서 정복한 주민들을 페리오이코이와 헤일로타이로 만들었지요. 페리오이코이는 자유롭기는 하지만 참정권이 없는 주변인, 헤일로타이는 완전한 노예 신분인 농민을 일컫는 말입니다. 헤일로타이가 스파르타의 모든 생산 활동을 책임졌기 때문에 시민들은 생산 활동에 전혀 종사하지 않았어요. 그런데 수차례 전쟁을 통해 헤일로타이의 수는 시민들의 수보다 훨씬 많아졌어요. 그들이 반란이라도 일으킨다면 어떻게 될까요? 스파르타의 시민은 헤일로타이들이 어떤 반란을 일으키더라도 진압할 수 있는 강력한 전사가 되어야 했어요.

스파르타에는 두 왕가에서 각각 왕을 내어 2명의 왕이 있었어요. 하지만 왕의 권력이 아주 크지는 않았지요. 왕은 전쟁 때에 군대를 이끄는 사령관이 되고, 신에게 제사 지낼 때 사제가 되는 정도였어요. 왕이 감옥에 가거나 벌금을 무는 일도 있었다고 합니다. 전쟁에서 패하면 물론 아주 큰 처벌을 받았지요. 두 왕을 포함하여 30명의 원로로 구성되는 장로회와, 5명의 감독관이 실제로 정치를 담당했어요. 특히 감독관들은 시민들에 의해 선출되어 왕을 감시하거나 체포할 수도 있었어요. 그들의 임기는 1년이었고 중임할 수는 없었어요.

30세 이상의 모든 스파르타 남자 시민이 참석할 수 있는 민회

도 있었어요. 민회는 왕이나 장로회가 제출한 안건을 통과시키거나 거부할 수 있었어요. 특히 전쟁과 평화에 대한 문제, 외교 정책 등의 중대한 일은 민회에서 결정하였지요.

스파르타의 교육은 엄격하기로 유명했어요. 요즘도 '스파르타식 교육'이라는 말을 자주 쓰지요. 모든 시민은 의무적으로 국가에서 시키는 체계적이고 군사적인 교육을 받아야 했어요.

스파르타 중무장 보병
영화 〈300〉의 한 장면.

일단 남자 아이가 태어나면 신체검사부터 받게 했어요. 만약 건강하고 장애가 없으면 키우게 했지만, 검사를 통과하지 못한 아이는 버려졌지요. 만 6세가 되면 남자 아이들은 부모 품에서 벗어나 또래들과 집단생활을 하면서 국가의 체계적인 관리를 받았어요.

13세가 되면 본격적인 훈련에 들어갔는데, 옷이나 잠자리, 먹을 것도 최소한만 제공하였어요. 1년 내내 홑옷 한 벌만 걸치고 신발도 없이 맨발로 다녔고, 잠자리도 갈대를 손으로 잘라 만들었어요. 먹을 것도 늘 모자라게 주었고, 심지어 도둑질을 해서 식량을 마련하도록 했어요. 들켜서 붙잡히면 흠씬 두들겨 맞거나 끼니를 굶어야 했지요.

19세가 넘으면 전쟁터에 나가 싸울 수 있었어요. 그리고 30세가 넘어야 비로소 정식 시민이 되어 민회에도 출석하고 자신의 집에서 가족들과 함께 지낼 수 있었어요. 하지만 식사는 부자나 가난한 사람이나 똑같이 공동으로 했습니다. 그것도 아주 형편없는 음식으로 말이지요. 게다가 늙어서 전쟁터에 나갈 수 없게 될 때까지 평생 전쟁 훈련을 받아야 했답니다.

제10장
나무 성채가 너희를 구하리라
살라미스 해전

테르모필라이에서 페르시아 육군에 맞서 스파르타 군을 중심으로 한 그리스 연합군의 영웅적인 전투가 벌어지고 있을 즈음

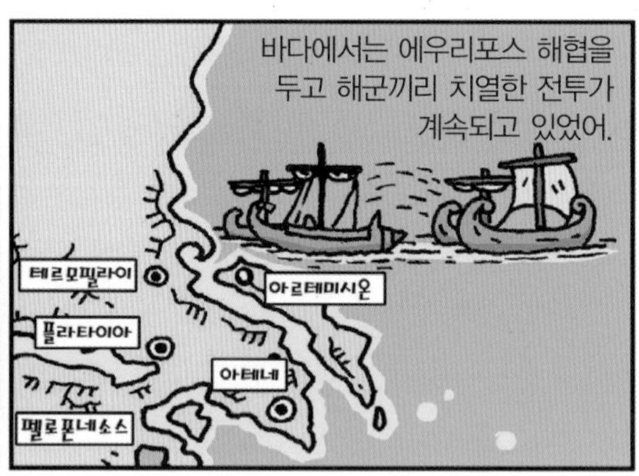
바다에서는 에우리포스 해협을 두고 해군끼리 치열한 전투가 계속되고 있었어.
테르모필라이
아르테미시온
플라타이아
아테네
펠로폰네소스

그리스 군은 아르테미시온에 진을 치고 페르시아 군과 거듭되는 전투를 치렀지.

테르모필라이
아르테미시온
플라타이아
마라톤
에레트리아
아테네
코린트
살라미스
팔레론

그리스 군의 기습과
기습

한여름의 폭풍우* 등 계속되는 재난으로

*그리스 지역은 여름에는 비가 거의 내리지 않는 건조한 기후다.

페르시아 군은 많은 배가
부서지고 침몰하여
전력이 많이
약해졌어.
전력
손실

헤로도토스는
이 모두가

페르시아의 우세한 전력을 약화시켜
그리스 군과 똑같이 만들려는 신의 배려에서
비롯된 것이라고 했어.
균~형
페르시아
그리스

하지만 그리스의 손해도
아주 컸어.

아테네의 경우 함대의 반이
부서졌으니까
반
아테네

그리스 해군은 아르테미시온에서
철수하여 좀 더 그리스 중앙부로
후퇴하기로 했어.
아르테미시온
테르모필라이
플라타이아
마라톤
살라미스

아테네를 이끌고 있던
테미스토클레스는
아 테 네

이오니아와 카리아 인 부대를
페르시아 군으로부터 분리시키면
이들만 떼어
놓을 수만
있다면…
카리아
이오
니아
페르시아

페르시아 해군의 전력이
크게 약해질 거라고 판단했지.

아테네 군선 중에서 가장 빠른
배 몇 척을 선발하여

식수가 있는 지점을 돌며
바위에 문자를 새겨 놓게 했어.
1급수

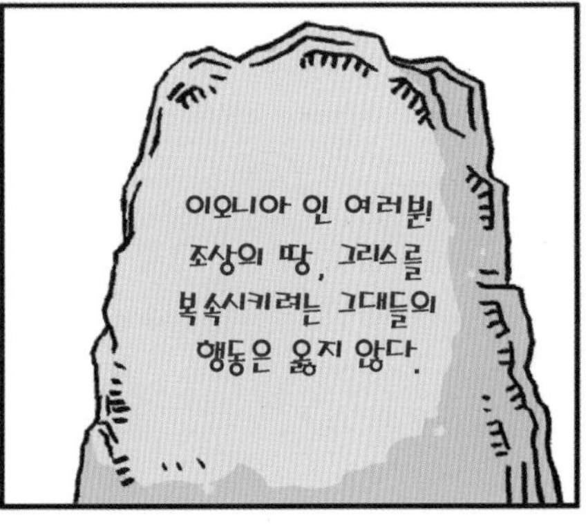
이오니아 인 여러분!
조상의 땅, 그리스를
복속시키려는 그대들의
행동은 옳지 않다.

지금이라도
우리 편에
가담하라.
카리아 인에게도
권유하라.

만약 그렇게
할 수 없다면
그대들은
우리와 같은
핏줄이라는 것을
명심하라.
1급수

그리고 지금의 이 전쟁도 그대들로부터 시작되었음을 명심하고 소극적으로 싸우기 바란다고 적었어.

테미스토클레스가 노린 게 뭘까? 만약 이 글이 페르시아 인들에게 알려지지 않는다면

이오니아 인들은 자기 의도대로 페르시아 군에게 배반하게 될 것이고

만약 페르시아 왕에게 보고된다면 이오니아 인들은 불신을 받아 해전에는 참가시키지 않을 수도 있으니

말 그대로 꿩 먹고 알 먹고인 셈이었지.

페르시아 인들은 육군 중심이니, 이오니아나 카리아 인이 빠지면 해군력은 크게 약화될 테니까.

한편 테르모필라이에서 스파르타 군을 전멸시킨 페르시아 육군은

그리스의 도시들을 하나하나 파괴하며 아테네 부근으로 진격해 오고 있었어.

아르테미시온
테르모필라이
펠레폰네소스
아테네
살라미스
스파르타

도시와 신전들은 모조리 불타고 수많은 사람들이 죽었지.

델포이도 주요 표적이 되었어.
델포이신전

무엇보다 델포이에 수많은
보물들이 봉납되어 보관되어
있다는 걸 알고 있었으니까.

델포이 인들이 이 보물들을 어디로
옮겨야 하는지 신탁을 구했더니 신이
그랬대.

자신의 재물은 자신이 지킬 테니
손대지 말라고….

신이 어떻게 했게?

델포이 신전을 노린 한 무리의 페르시아
군이 신전 부근까지 왔을 때

갑자기 벼락이 내리치고,
바위산이 무너져 내려
수많은 군사들이 죽었어.
콰아

신전에서 화난 함성이
울려오고
이놈들, 썩
사라지지
못할까!

도망가는 페르시아 군을 중무장한 두 거인이
쫓아왔다나?
쿵
쿵

한편 후퇴하는 그리스 군은
살라미스로 향했고
살라미스

아테네 군은 일단 본국으로
돌아왔어.
귀환

포고령이 내려졌지.

모든 아테네 시민은
각자 힘이 닿는 대로
가족을 데리고
안전한 장소로
피하라!

시민들은 인근의 도시나
살라미스 섬 등으로
피신했어.

그리고 군대는 해로로 다시 살라미스로 향했지. 살라미스가 어떤
곳이었냐고? 살라미스 섬과 그리스 본토 아티카 지방 서쪽 해안 사이의
아주 좁은 바다였어.
살라미스
아티카

살라미스에 모인 그리스 군의
병력은 어느 정도였을까?
전함의 총수가 378척이었는데
이 중 반에 해당하는
180척이 아테네의 것이었어.

왜 전에 얘기했지? 테미스토클레스의
주장으로 광산에서 쏟아져 나온 금을
각자 나누지 않고 함선 만드는 데
썼다는 거.

덕분에 아테네는 해군 국가로
거듭났지.
최강

최고 지휘관을 가진 이는?
당연히 아테네 인이었겠지.

땡! 스파르타의
에우리비아데스였어.

아테네는 그리스의 단결을 위해
지휘권을 흔쾌히 양보했던 거지.
양보

텅 비어 버린 아테네에는

소수의 신전 관리자와 빈민들만이 아크로폴리스 주위에 방어막을 치고 남아 있었어.
그들은 돈이 없어 피난을 떠나지 못한 점도 있지만, 무엇보다 델포이 무녀가 전해 준 "나무 성채는 결코 무너지지 않으리라!"라는 신탁을 기억하여
나무 성채는 결코 무너지지 않으리라!

자신이 둘러싼 나무 방책이 신이 주신 피난처라고 생각했거든.

밀고 당기는 공방전이 한동안 벌어졌어.

이번에도 절벽이 문제였지.

전에도 그랬잖아.

키루스의 페르시아 군과 크로이소스의 리디아 군과의 대결에서 페르시아 병사가 절벽 타고 올라가 사르디스 성을 함락시킨 것 말야.

이번에도 그랬어. 절벽이라 방심하고 있는 곳으로

페르시아 병사가 기어 올라가

결국 신전 안으로 페르시아 군이 몰려들었지.

신전은 철저히 약탈당하고 파괴되고 불태워졌어.

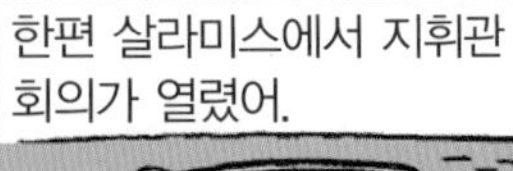
한편 살라미스에서 지휘관
회의가 열렸어.

지도자 회의
살라미스

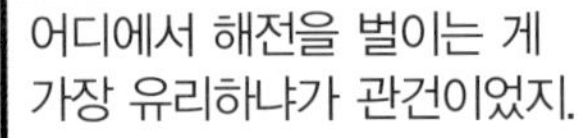
어디에서 해전을 벌이는 게
가장 유리하냐가 관건이었지.

펠레폰네소스
아티카
살라미스

아테네가 있는 아티카
지역은 이미 포기했으니,
함대를 더 남쪽으로
이동하여
아티카 지방
펠레폰네소스

펠로폰네소스 전면에서 해전을
벌이자는 의견이 대부분이었어.

그때 한 아테네 인이 배를 타고
달려와

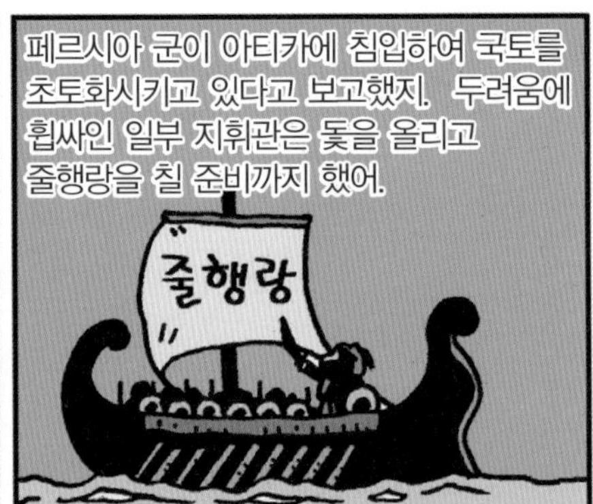
페르시아 군이 아티카에 침입하여 국토를
초토화시키고 있다고 보고했지. 두려움에
휩싸인 일부 지휘관은 돛을 올리고
줄행랑을 칠 준비까지 했어.
줄행랑

특히 펠로폰네소스 지역 나라의
군대들은 자국이 걱정되기
시작했어.

여차하면 본국으로
내뺄 분위기였던 거야.

테미스토클레스는 함대 총사령관인
에우리비아데스를 설득했어.

살라미스를 떠나게 되면 해상
부대는 반드시 해체될 것입니다.
부대는 반드시 각각 자국으로
돌아가 버릴 테니까요. 이건
말도 안 되는 계획입니다.

이렇게 되면 그리스는 멸망할 겁니다.
빨리 지휘관 회의를 소집하여 결정
사항을 바꾸어야 합니다.

끈질긴 테미스토클레스의 설득으로
에우리비아데스는 맘을 바꿔
지휘관 회의를 소집했어.
좋아.
자네 말대로
하지.

지휘관들 앞에서 테미스토클레스는 열렬하게 호소했어.
해전을 큰 바다에서 벌이게 되면

수도 적고 속력도 느린 함선을 가진 우리가 절대적으로 불리하오.

설사 기적이 일어난다 해도 인근 살라미스 부근 영토를 다 잃게 되지요.

적은 틀림없이 해상 부대만이 아니라 육상 부대도 함께 움직일 것이오.
펠레폰네소스

스스로 펠로폰네소스로 적을 끌어들이는 꼴이 됩니다.

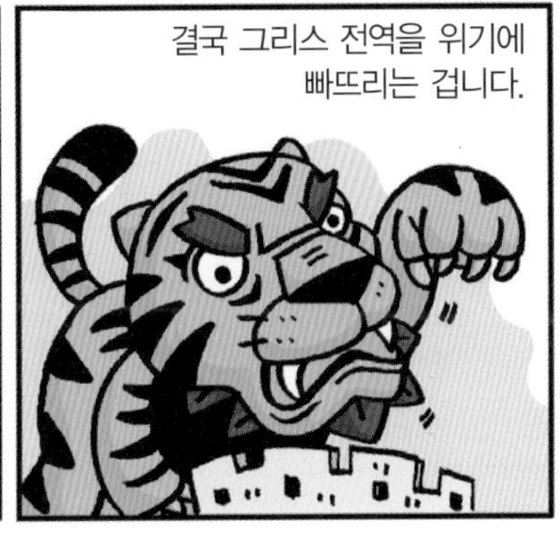
결국 그리스 전역을 위기에 빠뜨리는 겁니다.

무릇 우리 측의 함선이 약하고 적을 때는

큰 바다가 아닌 좁은 해역에서 적을 맞아야 우리에게 유리합니다.

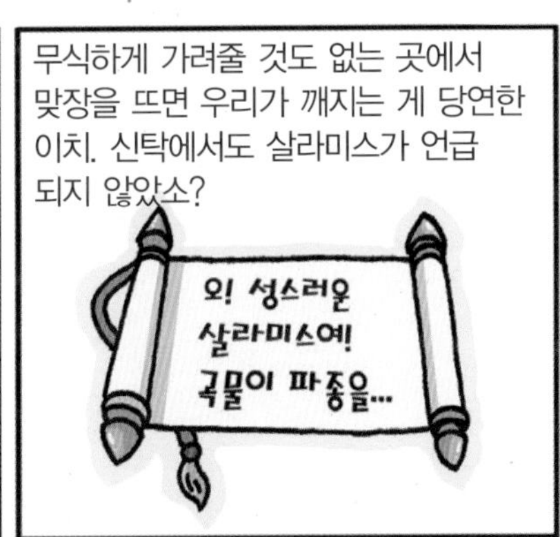
무식하게 가려줄 것도 없는 곳에서 맞장을 뜨면 우리가 깨지는 게 당연한 이치. 신탁에서도 살라미스가 언급되지 않았소?
오! 성스러운 살라미스여! 곡물이 파종을...

지난 번 테르모필라이 전투에서 적은 병력으로 큰 병력을 상대하자면 한꺼번에 적이 몰려들 수 없는 좁은 지역에서 승부하라고 했던 거 기억해?
많은 수의 적군
아군

말하자면 그 교훈을 되새긴 건데, 비아냥이 쏟아져 나왔어.

나라를 잃은 자는 그 입 좀 다물지!

소속을 밝히시오! 당신은 도대체 어느 나라 사람이오?
아테네가 페르시아 군의 손에 넘어갔음을 빗대 놀리는 것이었지.

우리 아테네 함대는 200여 척, 만약 우리가 공격한다면

동맹 제국의 국가들 중 우리 아테네의 공격을 물리칠 수 있는 나라 나와 보시오!
!!

여기에 머무르지 않는다면 우리는 아테네 가족들을 배에 태워

이탈리아에 있는 우리 소유의 섬으로 갈 것이오. 그대들은 동맹군을 잃고서야 후회하게 될 것이오.

결국 지휘관들은 테미스토클레스의 말대로 살라미스에서 결전을 치르기로 했지.
결전의 장소
살라미스

페르시아 군은 아르테미시온과 테르모필라이에서의 전력 손실을
전력 손실

점령한 수많은 그리스 도시의 시민들을 강제로 동원하여 보충해 가며 계속 전진했어.
테르모필라이
아테네

페르시아 군에서도 크세르크세스가 참석한 가운데 작전 회의가 벌어졌어.
작전회의

아르테미시아라는 여성 지휘관이 말했어.
전하! 부디 해전을 벌이기보다는 육전에 주력하소서.

그리스는 수군이 매우 강합니다. 위험한 일을 벌일 이유가 없습니다.

이미 전하께선 원정의 목표였던
아테네를 손에 넣으셨고

그 밖의 지역도 시간 문제입니다.
수군을 육지 가까운 곳에 이대로
머물게 하시고

육군을 펠로폰네소스 쪽으로
전진시키십시오.
페르시아 육군
펠로폰네소스
살라미스
스파르타

그렇게 되면 그곳 출신 부대는
동요할 것이고 결국 뿔뿔이
흩어지게 될
테니까요.

하지만 왕은 이전의 해전에서의 패배는
자기가 직접 지켜보지
않아서 장병들이
일부러 소극적으로
싸웠기 때문이고

이번에 자기가 직접 해전을 지켜보면
그런 일은 없을 거라 믿고 해전을
벌이기로 했지.

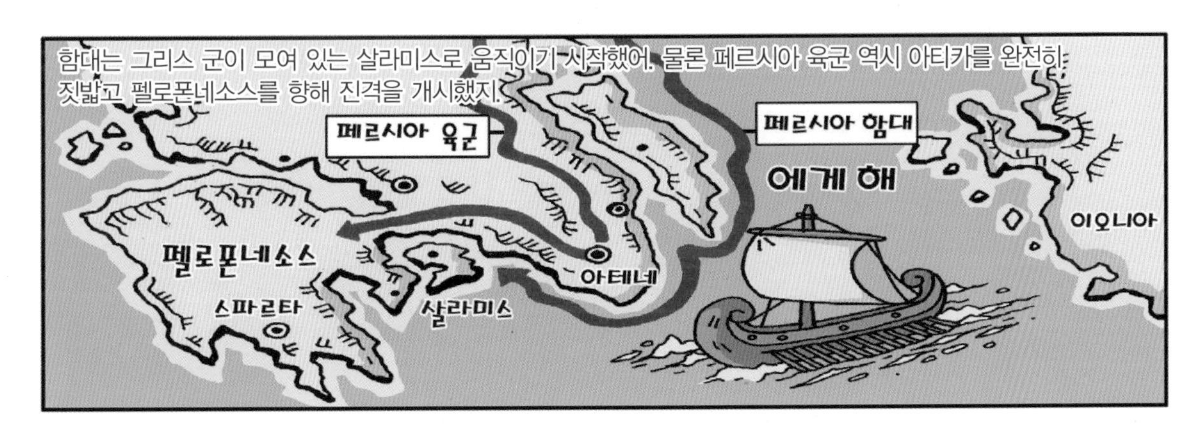
함대는 그리스 군이 모여 있는 살라미스로 움직이기 시작했어. 물론 페르시아 육군 역시 아티카를 완전히
짓밟고 펠로폰네소스를 향해 진격을 개시했지.
페르시아 육군
페르시아 함대
에게 해
이오니아
펠로폰네소스
아테네
스파르타
살라미스

펠로폰네소스의 그리스 인들
역시 가만 있지 않았어.

페르시아 군의 진격을 저지하기 위해 펠로폰네소스 반도의
위쪽 좁은 지역에 장성을 쌓기 시작한 거야.
수만 명이 밤낮으로 달라붙어 공사가 진행되었어.

한편 살라미스에서는 결전의 시간이 다가올수록 그리스 군 사이의 불만은 높아만 갔어.
살라미스

특히 펠로폰네소스 지역 출신 부대들이 더 심했지.
너희들 지금 뭐하자는 자세야?

불만이 폭발하고 비난이 오가고 사태가 심상치 않자
너나 잘하셔~.
죄를 물어야 정신을 차릴 놈이군!

테미스토클레스는 또 하나의 카드를 꺼냈어.

비밀리에 페르시아 군 진영으로 사람을 보낸 거야.

아테네 지휘관의 비밀 전갈을 갖고 왔습니다.
!!

아테네는 이미 귀국의 손에 들어갔고, 이제 귀국군의 선처를 바라야 하는 처지입니다.

그분 말씀이 그리스 군은 잔뜩 겁을 집어먹고 도망칠 궁리만 하고 있으니

그리스 군이 빠져나가지 못하도록만 하면 완벽한 승리를 거둘 수 있을 거라 하셨습니다.

그리스 군이 서로 분열되어 아옹다옹하고 있기 때문에 어쩌면 자기들끼리 해전을 벌일지도 모른다고요.

크세르크세스는 득의의 미소를 지었지.

페르시아 군은 테미스토클레스의 작전에 말려들어

밤새 살라미스 해협 전체를 봉쇄하고 서서히 포위망을 좁혀 들어왔어.
그리스 함대
코린스 전대
살라미스
이집트 함대
페르시아 함대
페르시아 주둔지

그리스 진영의 지휘관들은 이동해야 한다, 여기서 승부를 내야 한다 의견이 분분한 가운데
그리스진영

보고가 들어왔어.

이동할래야 이동할 수 없도록 이미 적이 물샐틈없이 에워싸고 있다고.
STOP

할 수 없이 그리스 함대는 전투 태세에 돌입했어.

죽으나 사나 이젠 여기서 끝장을 내야 한다! 좁은 지협에서 페르시아 군이 오길 기다리고 있었지.

좁은 해협에 들어서자 페르시아 함대는 한꺼번에 물러가지 못하고 길게 열을 지어서 전진할 수밖에 없었어.
일 렬 종 대…

대포가 없었던 그 시절에 바다에서의 싸움은

배와 배끼리 박치기를 하고 상대방의 노를 부러뜨리는 아주 단순한 형태였어.

아테네의 배는 주로 3단 노선이었는데

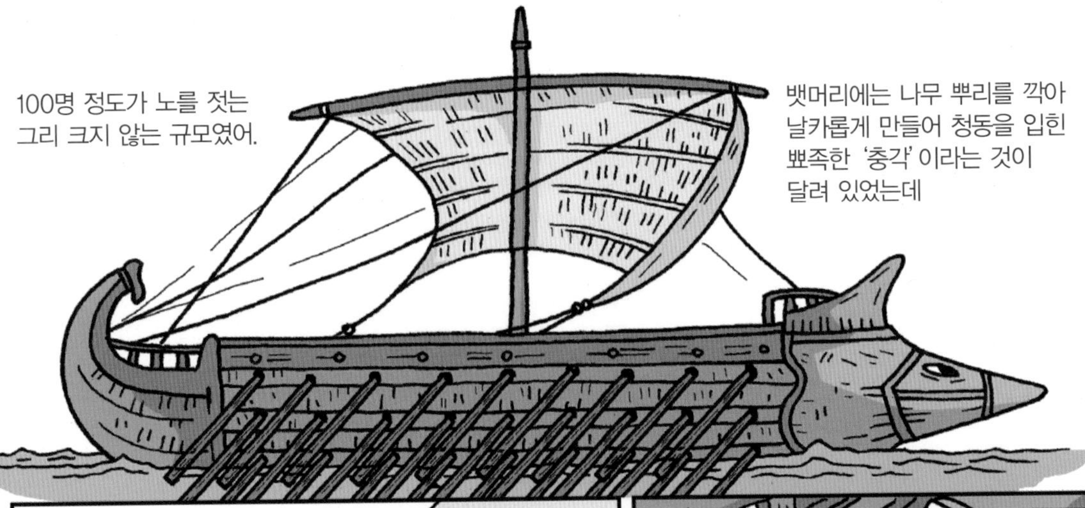
100명 정도가 노를 젓는
그리 크지 않는 규모였어.
뱃머리에는 나무 뿌리를 깍아
날카롭게 만들어 청동을 입힌
뾰족한 '충각' 이라는 것이
달려 있었는데

이것은 전속력으로 적선에 다가가 그 옆구리를 침몰시키는 데
필요한 것이었지.

한마디로
노 젓는
사람들의
손발이 척척
맞아야 하고

물론 전투병들과의 조화도 아주
중요했어.

여기에 맞선 페르시아 함대의 수는
그리스 연합군의
함대를 압도했지만

좁은 해협을 통과하자니 배들이 다닥다닥 붙어서
나갈 수밖에 없었지.

물살은 빠르고 거칠었어.

기다리고 있던 그리스
함대가 일사분란하게
일제히 공격을 개시하자

순식간에 페르시아 함선들은 혼란에 빠졌어. 회심의 기습 작전이었지.
페르시아 함대는 기다렸다는 듯이 먼저 공격을 가해 오는 그리스 함선들에 밀려 순식간에 전열이 흐트러졌어.
덩치가 커서 좁은 바다에서 움직임이 자유롭지 못한 페르시아의 배들은 자기들끼리 뒤엉켜
이젠 앞으로 갈 수도 뒤로 후퇴할 수도 없게 되었지. 작아서 기동성이 더 뛰어났던 그리스의 배들은
종횡무진 그 사이를 누비며 닥치는 대로 페르시아 배들을 공격했어.
뾰족하고 단단한 충각으로 페르시아 배의 옆구리를 사정없이 들이받았지. 당황한 페르시아 배들은 자기들끼리 부딪치고 암초에 부딪쳐 가며 아수라장이 되었어.

가까운 해안의 산 위에서 지켜보고 있던 크세르크세스의 눈 앞에서 페르시아 함대는 하나 둘 허물어져 갔어.

배가 부서져 병사들은 바다에 빠졌지.

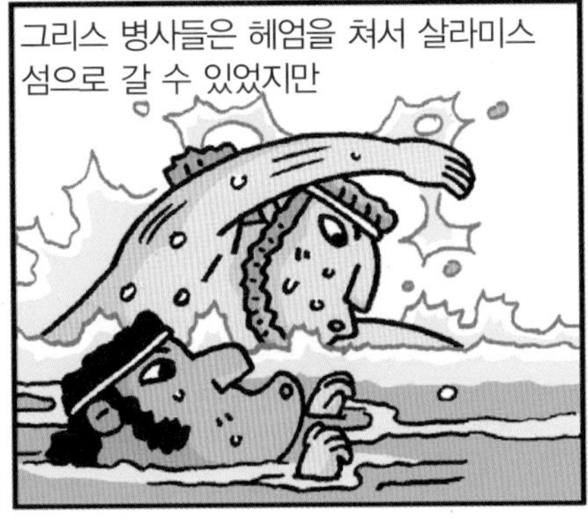
그리스 병사들은 헤엄을 쳐서 살라미스 섬으로 갈 수 있었지만

페르시아 병사들은 대부분 헤엄을 칠 줄 몰라 바다에 빠져 죽었어.

완벽한 그리스의 승리이자 다리우스, 크세르크세스로 이어지는 세계 제국 페르시아의 야망이 처절히 부서지는 순간이었어.

구사일생으로 살아남은 사람들은
SOS
HELP

팔레톤에 이르러 겨우 육상 부대와 만나서 숨을 돌렸어.
팔레톤

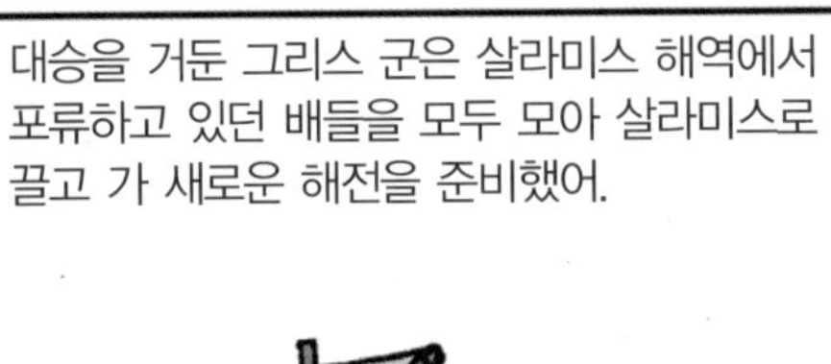
대승을 거둔 그리스 군은 살라미스 해역에서 포류하고 있던 배들을 모두 모아 살라미스로 끌고 가 새로운 해전을 준비했어.

페르시아 왕이 이 정도에서 포기할 리가 없었으니까.
그리스

하지만 눈앞에서 자신의 함대가 철저히 파괴되어 가는 것을 지켜본 크세르크세스는

갑자기 두려움이 밀려왔어.

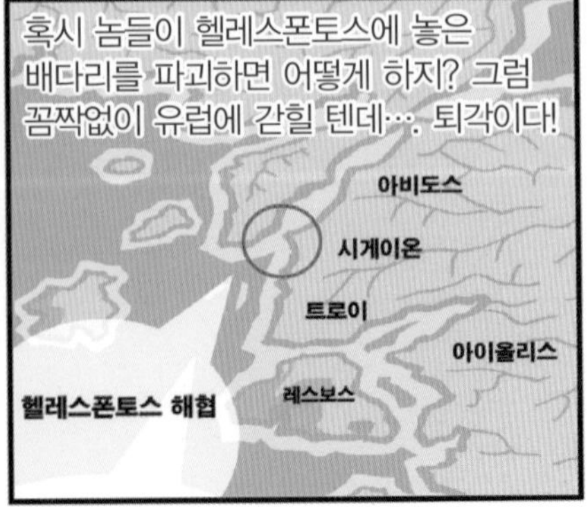
혹시 놈들이 헬레스폰토스에 놓은 배다리를 파괴하면 어떻게 하지? 그럼 꼼짝없이 유럽에 갇힐 텐데…. 퇴각이다!
아비도스
시게이온
트로이
아이올리스
레스보스
헬레스폰토스 해협

하지만 그리스 군이 눈치 챌까 봐,
다음 해전을 준비하는 척했어.

하지만 원정 사령관 마르도니오스는
어느새 철수를 결심한 왕의 속마음을
헤아렸지.

마르도니오스는 이 전쟁이 실패로
끝나면 처벌을 피할 수 없음은
당연한 일이었어.

차라리 망하든 흥하든 한번
멋지게 싸우다 죽는 게 낫다고
생각하고 왕에게 고했어.

전하, 적들은
결코 배를 떠나지
못할 것입니다!

군대를 움직여
펠로폰네소스를
공격하십시오.

이번 전쟁에서 부실했던 건
이집트 인이나
페니키아 인들이지,
우리 페르시아 인들은 결코
부끄럽지 않게 싸웠습니다.

만약 폐하께서 이 땅에 머무르지
않으실 생각이시라면 군의 주력을
이끌고 고국으로 철수하십시오.

전 군대 중 30만 명만 선발하여 남아
무슨 수를 써서라도 그리스를
굴복시켜 전하께 바치겠습니다.

크세르크세스는 신하들에게 의견을
물었어.

전하, 이번 원정의 목표는 달성한
셈입니다. 이미 아테네를 불태
웠으니까요. 사령관이 원하는
대로 일부 군대만 남겨 두시고,
철수하는 것이 나을 듯합니다.

한편 페르시아 해상 부대가
철수했음을 뒤늦게 알게 된
그리스 군의
뒷북 치다...

테미스토클레스는 적의
함대를 추격하고
헬레스폰토스의 배다리를
파괴해야 한다고 주장했지.

하지만 에우리비아데스는 생각했어. 퇴로가
끊긴 페르시아 군이 유럽에 머문다면?

수세에 몰린 페르시아 군이 결연한
태도로 다시 싸움에 나선다면 어떻게
될까? 고민을 했지.
?...

에우리비아데스는 도망가는
적은 도망치도록 내버려
두기로 했어.
태도를 바꾼 테미스토클레스는
오히려 아테네 인들을 설득했어.

신의 보호로 우리는 새카맣게 바다를
뒤덮었던 대군을 몰아냈소. 궁지에 몰리면
쥐도 고양이를 무는 법. 뒤쫓지 맙시다.
우리도 부서진 집을 짓고
농사를 시작하는 게
급해요.

그리고는 페르시아 왕에게
사람을 보냈지.

테미스토클레스 님께서
귀국의 함대를 추격하고
헬레스폰토스의 다리를
파괴하고자 하는
그리스 군을 저지했다는
말씀을 전해드립니다.

다 전하를 위한
일이오니,
전하께서는
안심하고 귀국
하십시오.

왜 그랬을까? 일종의
보험이었던 셈이야.
생명보험
가입서.....

실제로 나중에 테미스토클레스는 추방을 당해
아테네를 떠나 이곳저곳을 돌아다니다가
페르시아에서 여생을 마치게 되거든.
페르시아

테르모필라이와
살라미스 전투로
떠난 역사 여행
재미있었니?

사실 헤로도토스의 《역사》는
《페르시아 전쟁사》로 불리기도
한다고 얘기했었지?
페르시아 전쟁사

그런 만큼 페르시아와의 전쟁에서
있었던 가장 대표적인 이 두 전투가
《역사》의 하이라이트라고 할 수 있어.
살라미스

지난번 1차 페르시아 전쟁 때의
마라톤 전투와 이번 살라미스
해전을 특히 비교해 볼 필요가
있을 것 같아.
마라톤
살라미스
비 교

마라톤 부대의 주력은
중무장 보병이었어.
마라톤 전투

중무장 보병이란 철갑과 철갑 모자, 방패,
창이나 단검으로 완전 무장을 한 보병을
말하는데
창
투구
갑옷
방패

오늘날이야 군인들의 옷이나
무기는 모두 국가가 제공하지만

그때는 시민 각자가 자기의
무장 비용을 대야 했어.
자기부담

그러니 중무장을 갖출 수 있는 사람들은
꽤 부유한 시민들일 수밖에….
그들은 중무장 보병으로
전투에 참가하는 대신
정치적인 발언권이
아주 강했지.
정치적 발언권

하지만 살라미스 해전에서는
중무장을 할 능력이 없는 가난한
시민들도 전함의 노를 젓기 위해
참전할 수 있었고
살라미스

살라미스 해전 이후 특히
아테네에서는 이들의 목소리도 훨씬
커졌어.
아테네
그리스

그 후 아테네 민주정은
더욱 발전했지.
민주정

살라미스 해전이 준 교훈 하나를
덧붙이자면, 해군력이 얼마나 중요한지
깨달았다는 거야!
해 군

클레이스테네스, 아테네 민주정의 초석을 놓다

도편

독재자의 출현을 극도로 경계한 아테네 인들은 도편 추방제를 만들었다. 아리스토텔레스가 그의 저서 《아테네 헌법》에서 말한 바에 따르면, 이 제도는 클레이스테네스가 히피아스를 추방한 이후 아테네 헌법을 개정하면서 도입한 것이라고 한다.

참주정을 겪고 난 아테네에서는 다시는 참주가 출현할 수 없도록 아예 제도를 만들었어요. 시민들이 참주가 될 위험이 있다고 생각되는 사람을 투표하여 일정 기간 동안 나라 밖으로 내쫓아 버렸지요. 이것을 '도편 추방 제도'라고 합니다. 클레이스테네스가 이 제도를 처음 도입했다고 알려져 있는데, 그는 아테네 민주정의 기초를 쌓았다고 일컬어지는 사람이에요.

클레이스테네스의 개혁에서 가장 중요한 것은 아테네의 지역 구도를 바꾸어 놓은 일이었어요. 그전까지 아테네의 행정 단위는 혈연을 기초로 한 4개의 부족이었어요. 그래서 4개 부족의 우두머리인 귀족들이 아테네의 정치를 지배하였지요.

그런데 클레이스테네스는 이 4개의 부족 단위를 데모스라 불리는 10개의 행정 구역으로 개편했어요. 데모스는 흔히 시민, 민중이라는 말로 번역되는데, 바로 이 데모스에 사는 사람들을 뜻하는 말에서 시작된 거예요. 민주주의는 바로 이러한 데모스에 의한 지배를 뜻하는 말이지요.

데모스는 요즘으로 따지면 지방 정부로 그 구성원들이 아테네의 정치 생활에 참여할 수 있도록 훈련을 받는 학교로서의 구실도 했어요.

각 데모스는 자신의 데모스를 대표하는 50명의 시민을 뽑았는데, 10개의 데모스를 대표하는 500명의 시민들의 회의가 바로 500인 평의회였어요. 아테네 시민이면 누구나 추첨을 통해 이 평의회의 의원으로 선출될 수 있었지요.

전쟁이 벌어지면 4개의 부족 단위로 군대가 편성되던 기존의 방식에서 벗어나, 군대도 데모스 단위로 편성되었어요. 귀족들이 자신이 이끄는 부족의 무장 비용을 대던 방법 대신에, 데모스의 시민들은 각자 자신의 돈으로 무기와 장비를 구입하고 전쟁터에 나갔어요. 이러한 시민군을 '중무장 보병' 이라고 합니다. 이들은 특히 페르시아 전쟁 중 마라톤 전투에서 큰 활약을 했어요. 시민들의 정치적 목소리는 더욱 커졌지요. 귀족의 지배에 억눌려 지내던 시민들이 정치에 직접 참여하여 정치의 중심으로 떠오르게 된 거예요.

이전에는 소속된 가문이나 부족을 나타내는 명칭을 이름 앞에 붙였는데, 이제 이름 앞에 자기가 속한 데모스의 이름을 붙여서 정식 이름으로 부르게 되었어요.

도편 추방제를 도입한 것은 클레이스테네스였으나 처음 실시된 것은 그로부터 20년이나 지난 기원전 487년이었어요.

아테네 시민들은 매년 봄 민회를 열어 도편 추방을 실시할 것인가 말 것인가를 먼저 결정했어요. 그 후에 아고라에 모여 국가에 해를 끼칠 가능성이 있다고 생각하는 인물의 이름을 각자 도자기 파편, 즉 도편에 적어 냈어요. 이 투표에서 가장 많은 이름이 적힌 사람 한 명은 국외로 추방되었어요. 추방된 사람은 10년이 지난 뒤에야 다시 아테네로 돌아올 수 있었어요.

처음에는 참주의 출현을 예방하기 위한 방법으로 고안되었지만, 이 제도는 점차 유력한 정치가를 추방하기 위한 정치적인 수단으로 악용되기도 했어요. 유능하고 지도자적인 자질을 갖춘 정치가들까지 도편 추방제의 희생양이 되는 경우도 많았지요. 살라미스 해전의 영웅 테미스토클레스도 추방당할 정도였으니까요.

아고라

고대 그리스에서 시민들의 일상생활이 이루어지던 광장. 아크로폴리스가 종교와 정치의 중심지였다면, 아고라는 시민의 경제생활과 예술 활동이 이루어졌던 장소였다.

제11장
그리스, 자유를 지키다
플라타이아 전투

크세르크세스가 본국을 향해
발걸음을 재촉하고 있을 무렵
흑해
사르다스
에게 해
수사
밀레투스

페르시아의 군사령관 마르도니오스는
테살리아에서 겨울을 보내고 있었어.
테살리아
에레트리아
아테네
펠로폰네소스

마르도니오스는
사절을 아테네로 파견했지.

아테네를 끌어들이려는 속셈이었어.
?

육군이야 페르시아 군을
당할 군대가 있나.

문제는 해군력인데 역시
아테네가 그리스 해군력의
주력이었으니까.
아테네

게다가 겨울을 나는 동안
마르도니오스가 각 곳에 있는 신전에
신탁을 구했더니

아테네를 끌어들이라는 권유가
내려졌었거든.
아테네를 끌어들여라!

왕께서는 그동안
아테네 인의 잘못을
다 용서하시겠다고
하셨소.
아테네에 도착한 사절은
이렇게 얘기했지.

또한 아테네 인에게 그들의 땅을
모두 돌려주고 독립국으로
대우받도록 할 것이며

불태운 신전은
모두 재건해
주라고 명하셨소.

귀국은 대왕을 이기지 못할 것이며
내가 거느리고 있는 군대 역시
마찬가지요. 왕에게 저항하여
위험에 빠지지 말고

지금이야말로 우리나라와
동맹을 맺고 살길을
찾는 게 어떻소?
동맹

대왕께서는 오직 귀국에만
이런 제안을 하는 것이니
현명하게 판단하시오.
페르시아

한편 페르시아 사절이 아테네에 왔다는
사실을 알고
사신
아테네
스파르타

스파르타에서도 아테네가 페르시아와
강화를 맺는 것을 막으러
사절을 파견했어.

아테네가 페르시아와
손이라도 잡으면

자기들도 무사하지 못할 테니 맘이
급했던 거야. 아테네 인들은 두
나라 사절을 같은 자리에서 맞았어.

페르시아 사절의 말이 끝나자
동맹만이 살 길이오!

이번에는 스파르타의 사절단 왈
설마 귀국이 그리스 전체를 배반하진 않겠지? 우린 이번 전쟁을 바라지 않았소.

이번 싸움의 원인 제공자는 귀국인데 덕분에 그리스 전체가 쑥대밭이 되었소.

귀국이 집과 재산을 다 잃고 고생하고 있다는 건 우리도 안타까운 일이오.

우리 스파르타와 동맹국들은 전쟁이 끝날 때까지 귀국의 가족들을 모두 먹여 살리겠다고 약속하겠소.

아테네 인 왈.
마르도니오스에게 전하시오.

하늘이 두 쪽 나도 당신들과 손잡는 일은 절대 없을 것이오.
후회할텐데..

우리는 끝까지 싸울 것이오. 다시는 그따위 제안을 가지고 우리 아테네 인 앞에 얼씬도 마시오.

이어서 스파르타 인을 향해 말했지.

우리가 페르시아와 손잡을까 두려워하다니! 아테네 인의 정신을 우째 보고?

그러한 의심을 품었다는 건 오히려 그대들이 실로 부끄러워해야 할 일이오.

우리는 반드시 보복할 것이오.

우리는 모두 같은 그리스 인.
같은 피, 같은 언어를 가졌고

같은 신을 모시고 같은 의식을
행하며 같은 생활양식을
가지고 있소.

우리 가족들을 먹여살리겠다는
그대들의 호의는 고맙지만
우리 힘으로 해결할
테니 빨리 군대나
파견해 주시오.

우리가 자기들의 요구를 거절한
걸 알면 페르시아 군은 다시 우리
나라에 쳐들어올 테니

아테네 인들의 예상은
딱 맞아떨어졌어.
예상률
100%

아테네로 갔던 사절의 보고를 듣자마자
마르도니오스는 군대를
이끌고 아테네로
향했어.

그는 무척이나 서둘렀어.
아테네

하지만 그가 아테네에 도착했을 때
아테네는 전처럼 텅 비어 있었어.

이미 대부분의 아테네 인들은
살라미스 섬과 함선 위로 피신해
버린 뒤였지.
살라미스

페르시아와 스파르타의 사절들이
돌아가고 나서 아테네 인들은
이제나저제나
스파르타에서
원군이 오길
기다리고
있었던 거야.
6

하지만 기다리던 원군은 올
낌새도 보이지 않았어. 곧
페르시아 군이 쳐들어 올 텐데
말이야.
개미 새끼
한마리 안 보임

사정을 알고 난 아테네 인들은 배신감에
분통을 터뜨렸지.
당장
이것들을!
스파르타
깡~

결국 아테네 인들은 또다시 도시를
비우고 살라미스로 건너갈 수밖에 없었어.
아테네
살라미스

어떤 사정이 있었을까?
사연

스파르타는 제례 기간이라 병력을
파견하기를 꺼리고 있었던 데다가
무엇보다도 느긋해진 이유가 따로
있었지.

앞장에서 펠로폰네소스 지역의 주민들이 본토와 연결되는 좁은 지역에 방어벽을 쌓
기 위해 밤낮 없이 일했다는 얘기했지? 바로 그 방어벽이 완성된 거야.

그러니 올 때 마음과 갈 때
마음 다르다고
화장실

성이 아직 완성되지 않았을 때는
아테네가 페르시아와 손을 잡기라도
할까 봐 노심초사했지만
맺지 마!
맺지 마!

이젠 방어벽도 튼튼하겠다 급할 게
없어진 거지!

아테네 시가지를 접수한
마르도니오스는
접수

살라미스로 사절을 보냈어.
살라미스

전에 했던 같은 제안을 가지고….

다른 아티카 지역은 물론
아테네까지 수중에 들어온 상태라
자신의 뜻대로 될 거라 생각했지.
이번엔
물겠지.

그는 아테네 평의회에 나가
마르도니오스의 제안을 전했어.
평의회-아테네 시민 500명으로
구성, 민회에 제출된 의안은
평의회의 심의를 먼저 거쳐야 함

평의회의 한 사람이 이 제안을
민회에 회부하자는 이야기를
했다가, 열받은 군중들에게 돌에
맞아 죽었어.

분이 안 풀려 집으로 몰려간
여자들에게 그의
불쌍한 마누라까지….

한편 살라미스의 아테네 인들은
스파르타에 사절을 보내 꾸짖고 경고를
날렸지.

우리가 페르시아와 손이라도
잡을까 봐 호들갑스럽게 쫓아와
그리스를 배신하지
말라는 둥

우리 가족을 먹여살리겠다는 둥
난리더니만 이제는 얼굴을 싹
바꿔? 우리나라가 또다시
쑥대밭이 되었는데!

페르시아가 우리한테 했던
제안, 잊지 않았지?
알아서 행동해라!

아테네 사절은 스파르타의 회답을
듣고자 기다렸지. 그런데 계속
연기되기만 하는 거야.
기다리래요.

그 와중에 스파르타 인에게
한 이방인이 충고했어.

아테네가 페르시아 편에 붙기라도 하면
그까짓 방어벽이 문제겠소?

아테네 인들이 최후의 선택을
하기 전에 그들의 요구를 들어
주는 게 나을게요.

그날 밤 스파르타는
뿌우
뿌우

수천의 스파르타 인 병사와 수만 명의 노예병을
출동시켰지.

다음 날 약이 바짝 오른
아테네 사절은 최후 통첩을
하고 돌아서다가

뒤늦게 스파르타의 군대가
아테네를 도우러 떠난
사실을 알게
되었어.

여기는 아테네. 혹시 아테네가 자신의 제안을
받아들일지도 모른다는 일말의 기대를 가지고
기다리던 마르도니오스는 살라미스에서의
소동을 듣게 되었지.
뭐~야

스파르타 군대가
출동했다는 소식까지
듣고는 다시 아테네
시가지를 불바다로 만들고

모조리 파괴한 다음 군대를
돌렸어.

기마전에 적합한 지역에서
싸움을 하면 유리하니까
평야

펠로폰네소스 반도 북쪽에
스파르타 군이 도착하고
아테네
스파르타

이들의 출정을 본
펠로폰네소스의 여러 나라들도
팔짱만 끼고 지켜보던 스스로를
부끄럽게 생각하며
힘을 보탰어.
지원입대

이어 살라미스를 출발한 아테네 군도
합세하고
스파르타
살라미스

그리스 군은 산기슭에 진을 쳤지.
정지

아무래도 평지보단 페르시아의
기병이 공격하기 쉽지
않으니까.

몇 차례나 공격에 나섰던 페르시아 기병대는

큰 피해만 입고 약이 올라
욕설을 퍼부었어.
뿌득

어떤 욕설이었냐고?
흡

얼레리 꼴레리, 그리스 놈들은 다 여자래요.
앵?
얼레리~
꼴레리~

페르시아에선 이 욕이
남자에 대한 최대의 모욕
이었거든.
치욕

체~ 여자를 그렇게 우습게
아니까 전쟁에서 지지.
쌤통이다!
300t

이어지는 전투에서 페르시아 군의
희생은 점점 커졌지.

그리스 군의 사기는 하늘을 찔렀어.
사기충천
뭐~꼬?

드디어 그리스 군은
산기슭에서 내려와
플라타이아로 진출했어.
플라타이아

중무장 보병 3만 8,700명

경무장 보병 6만 9,500명
총 11만에 가까운
숫자가 모였어.

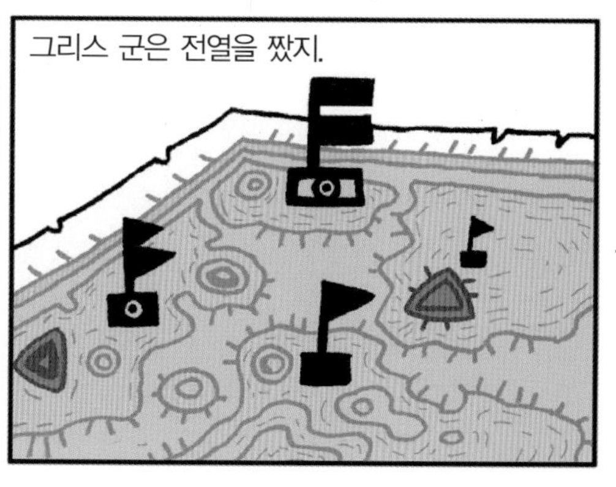
그리스 군은 전열을 짰지.

스파르타 군은 오른쪽 날개를, 그 옆에는 테게아 군이,
아테네 군은 왼쪽 날개를
스파르타
테게아
아테네

이에 대항한 페르시아 군은 최정예 페르시아 인 부대도 포함되어 있었지만 그 외에는 수많은 민족과 병사들로 이루어져 있었어.
잡
다 민 족…

물론 페르시아 측에 가세한 그리스 인 부대도 있었지.
그리스
페르시아

헤로도토스는 페르시아 군 총수를 대략 30만 명 정도였다고 기록하고 있어.
그리스인 포함 30만

두 대군이 마주한 플라타이아에는

폭풍전야의 고요만이 감돌았어.

점을 쳐 본 결과, 양측 모두 방어는 길하고 공격은 흉이었어.
吉
凶
방어
공격
점

서로 상대측이 먼저 공격하기만 기다리며 팽팽한 긴장감이 높아갔지.

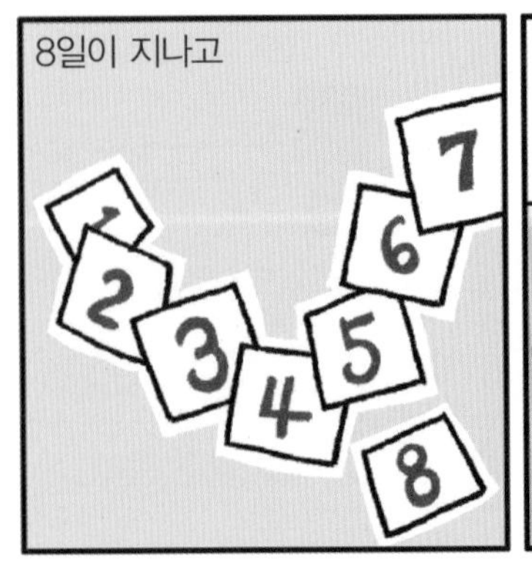
8일이 지나고
1
2
3
4
5
6
7
8

그리스 지원군은 계속 늘어나고 있었고
지원창구

또 이틀이 지나도 진전이 없었으나 그리스 군의 숫자는 점점 늘어났어.
와글
와글
지원행렬

11일째 되던 날, 인내심이 다한
마르도니오스는 점괘를 무시하고
공격을 개시했어.

무엇보다 그리스 군의 숫자가 갈수록
늘어나니 두려웠던 게지.
공격!

두 진영의 전열을 둘러싸고
신 경 전…

그리스 최강이라는 스파르타 군의 상대는
최정예 페르시아 인 부대였지.
페르시아
VS
스파르타
대 진 표

하지만 전투가
가까워 오자 좀 무서워진
스파르타의 지휘관은

마라톤에서 페르시아 군을 상대한
경험이 있는 아테네 군과 얼른
자리를 바꿨어.
아테네!
스파
르타

이걸 안 페르시아 군은 얼른
페르시아 부대의 위치를 바꿨지.
크흐흐
왜 따라
하는데
탁

이런 신경전이 벌어지고,
마르도니오스는 스파르타 측에
사람을 보냈어.
사 자

니들이 절대 싸움터에서
도망가지 않고
그 자리에서 죽이든지 죽든지
하는

그리스 최강 스파르타냐?
이름이 아깝다.

니들이 그리스 대표 선수와 우리 페르시아 측
대표 선수로 깨끗하게 맞장 떠서 그것으로
결판내자.

스파르타 측에서 아무런
응답이 없자
마르도니오스는 마치
전쟁에서 이긴 것처럼
기고만장했지.
푸
하
하

완전 쫄았군!

사실 스파르타 측은 이게 무슨 운동 경기냐며 무시하고 있었지.

페르시아 기병대에 의한 타격에 그리스 연합군도 골치를 썩고 있었어.

특히 식량과 식수도 다 떨어져 가는데 보급 부대마저 페르시아 기병대에게 습격을 당했거든.

물과 식량이 있는 곳으로 이동하자!

그리스 군에게 이동 명령이 내려졌어. 페르시아 군의 추적을 피해 밤새 이동이 시작되었지.
사삭
삭

아테네와 스파르타를 제외한 다른 대부분의 부대들은
스파르타 막사
아테네 막사

때는 이때다! 일단 전투를 피할 수 있다는 안도감에 전쟁터에서 훨씬 벗어나 멀리까지 가 버렸어.

후퇴 명령에 스파르타의 지휘관 중 한 명이 거세게 항의했어! 적에게 등을 보이다니! 스파르타의 이름을 욕되게 말라!
스파르타
난 안 가!

다른 부대는 다 출발했지만 덕분에 스파르타의 부대는 출발이 늦어졌지.
START~

아침에 텅 비어 버린 그리스 군 진지를 본 마르도니오스는 깜짝 놀랐어.
썰~렁

뭐 전쟁터에서 도망가는 법이 없다고? 비겁한 놈들! 추격하라! 본때를 보여 줘라.

페르시아 기병대는 급히 그들의 뒤를 쫓았어. 긴장이 풀린 페르시아의 남은 부내들도 앞다투어 추격을 시작했지. 전열은 흩어지고 마치 전쟁에서 승리한 듯 함성을 올리며 무질서하게 몰려간 거야.

고립된 스파르타 군과 몰려오는 페르시아 군 사이에 전투가 시작되었어. 소식을 듣고 스파르타를 도우러 나섰던 아테네 군은 역시 몰려온 페르시아 군에 막혀서 전투를 치르느라 갈 수 없었지.

비 오듯 화살이 쏟아지고

다음은 육탄전. 오랫동안 치열한 전투가 계속되었어.

시간이 갈수록 페르시아 군의 희생이 늘어 갔어.
페르시아

오합지졸 페르시아 군은 고도로 훈련된 스파르타의 무장병들을 당해 낼 수 없었어.

페르시아의 사령관 마르도니오스도 목숨을 잃고

구사일생으로 도망친 페르시아 군은 요새 안으로 몸을 숨겼어.

누가 공격을 한 군대이고 누가 방어군인지? 처지가 바뀌었지.

그리스 연합군은 아테네 군의 활약으로 드디어 벽을 무너뜨리고 성 안으로 들어갔어.

페르시아 30만의 군대 중 미리 도망친 4만 명을 제외하고 살아 남은 자는 3천 명에 불과했어. 여기에 비해 그리스 인 전사자는 스파르타 군 31명 테게아 군 16명 아테네 군 52명 뿐이었지.
페르시아
그리스
← 전사자 수

그리스의 작가 플루타르코스는 1,360명이라고 기록하고 있지.
1360명

여하튼 엄청난 승리였던 건 틀림없었나 봐. 아 참, 여기서 빠뜨리면 안 되는 이야기가 있어.

테르모필라이에서 살아 돌아와 겁쟁이 아무개로 불렸던 그 인물은 여기서 맹렬히 싸우다 전사해 명예를 회복했거든!
눈병하면 내가 누군지 알 거야!

플라타이아에서 페르시아 군이 기나긴 원정을 패전으로 끝낸 그 해, 페르시아 군은 이오니아의 미칼레에서도 뼈아픈 패배를 겪게 돼. 그리스 군은 함선으로 사모스 섬까지 진격했거든.

헬레스폰토스
사르데스
플라타이아
에게해
아테네
이오니아
미칼레
델로스
스파르타
사모스

페르시아 군은 손쓸 수 없이
밀리기만 했지.
거기 서!

이오니아 주민들은 누구 편이었을까?
당연히 그리스 편이겠지. 결국
이오니아 지방도 페르시아의 손에서
멀어진 거야.
그리스
페르시아
이오니아

이렇게 해서
페르시아와 그리스
페르시아 VS 그리스

동양과 서양의 최초의 전쟁은
그리스의 승리로 끝났어.
번쩍
엉~엉
와아

누가 봐도 대제국 페르시아의
쉬운 승리로 끝날 것 같았던
전쟁이었는데

어떻게 그리스는 페르시아를
상대로 승리할 수 있었을까?
기권
푸하하

뭐니뭐니 해도 노예이기를 거부하고
자유롭게 살고자 하는 인간의 의지!
노예!

그 힘이 어느 누가 보더라도 끝이
분명해 보이던 싸움의 결말을
뒤집은 게 아니겠니?
자유의지

헤로도토스가 《역사》 곳곳에서
여러 사람들의 입을 빌어
찬양하고 있는 바로
그리스 인들의 꺾이지 않는
저항 의지 말이야.
자유

잠깐! 《역사》에는 등장하지 않지만
전쟁 후의 그리스 세계를 좀 더
돌아볼까?
역사
헤로도토스

페르시아 전쟁의 최고 수훈갑은
어느 나라일까? 둘을 꼽으라면 당연히
스파르타와 아테네겠지.

최~고

딱 하나만 뽑으라면 역시
아테네겠지~!
뻥
1
아테네
2
스파르타
3

전쟁 이후 아테네의 위치는 더욱
굳건해졌어.

민주 정치를 활짝 꽃피우고
황금기를 맞이한 아테네.
민주정
형님!
험!!
형님!

하지만 점점 오만해져
갔지. 이젠 다른 그리스
국가들을 지배하려고
까지 한 거야.
너도 형님이라고
불러봐.

여기에 브레이크를 건 나라는
물론 스파르타였지.
STOP
끼이이익

그래서 그리스 국가들은 스파르타 편,
아테네 편으로 나누어 자기들끼리 치열한
전쟁을 벌이게 되거든.

이것을 펠로폰네소스
전쟁이라고 해.

참, 페르시아는 어떻게 됐냐고?
으~악!
내 모든 걸 걸었는데
또 꽝이다!

온 국력을 동원한 전쟁에서 패했으니
서서히 쇠락의 길로 접어드는 건 당연한
일이었지.

결국은 마케도니아의 알렉산드로스
3세에 의해 대제국 페르시아는
최후를 맞게 되지.

우리 이야기는 여기까지만 하고
이제 《역사》 여행을 마무리할까 해.
헤로도토스-역사
종착역

아주 아주 오랜 옛날 페르시아와
그리스에 갔다 온 기분이 어때?
페르시아 그리스
왕복티켓!

여행 도우미였던 내가 처음
헤로도토스의 《역사》를 만났을 때의
느낌을 말하자면, 한 마디로
놀라움이었어.
HISTORIAE
Surprise~
헤로도토스

오늘날에는 궁금한 것이 있으면 인터넷 검색창을 통해 단번에 알 수 있는데
NAVER
역사
역사는 헤로도토스

헤로도토스는 직접 가 보고, 듣고, 전해져 내려오는 이야기를 모으고 스스로 판단을 내려가며 이 많은 기록들을 썼다는 거야.

사실 요즘에는 교통과 통신이 발달하고 교류도 활발해서 저 먼 아프리카 인들의 삶의 모습도 안방에서 볼 수 있지만

그런 것이 전혀 없었던 그 먼 옛날 헤로도토스가 전해 준

다른 지역, 다른 민족들의 이야기들이 당시 사람들에게는 얼마나 신기했을까?
헤로도토스 이야기 보따리

말 그대로 '정보의 보고' 였겠지.
정보

세월이 많이 지나 우리는 이젠 페르시아 전쟁의 역사를 알 수 있어.
페르시아 전쟁

하지만 헤로도토스가 이 책을 썼던 시절은 이제 막 페르시아 전쟁이 끝난 시기였지.

그러니 이 방대한 내용을 헤로도토스가 얼마나 발품 팔아 가며 모으고 정리한 결과겠어.

덕분에 우린 이렇게 생생한 역사 여행을 다녀올 수 있었던 거지.

제대로 《역사》 여행을 하고 싶은 친구들은 책을 구해 읽어 봐. 꽤 두껍긴 하지만 말이야.
헤로도토스 역사

자! 우리 마지막으로 인사하자. 고마워요! 헤로도토스!!

그리스 세계의 분열, 펠로폰네소스 전쟁

아크로폴리스
높은 도시라는 뜻으로, 고대 그리스 도시의 종교 · 정치적 중심이 되는 장소였다. 폴리스 수호신의 신전이 세워져 있어 전쟁 시에는 시민의 최후의 보루 역할을 하였다.

대제국 페르시아에 맞선 그리스 연합군은 같은 언어, 같은 종교를 가지고 같은 헬레네스 인으로서의 자부심을 가지고 있었지만, 너무나 다양한 정치 체제와 제도, 문화를 가지고 있었어요. 특히 전쟁 승리의 두 주역, 아테네와 스파르타는 성격이 너무나 달랐지요.

아테네는 아티카 지방에 자리잡고 있던 활기찬 해양 국가였어요. 아테네 인들은 시를 읊거나 철학자의 이야기를 들으며 토론하기를 즐겼어요. 유명한 조각가, 화가, 과학자 등이 넘쳐났지요. 시민들은 자유를 만끽하고 있었어요. 페르시아의 침략으로부터 그리스를 구해 냈다는 자부심도 하늘을 찔렀어요. 아크로폴리스도 다시 세우고, 아테나 여신의 신전도 지었어요. 그리고 페리클레스라는 뛰어난 지도자의 영도 아래 고대 민주 정치의 찬란한 꽃을 피웠지요.

스파르타는 펠로폰네소스의 골짜기에 자리잡고 있던 폐쇄적인 농업 국가였어요. 스파르타 인들은 어렸을 때부터 엄격한 교육을 받고 늘 싸우는 방법을 배우며 직업적인 전사로 키워졌어요. 사치품과 귀금속도 없었고 식사도 공동으로 하는 등 절제와 금욕의 생활을 해야 했지요. 문학이니 예술이니 하는 것과도 거리가 멀었어요.

페르시아 전쟁 후 그리스 세계에서 확고한 지위를 차지한 것은 역시 아테네였어요. 그리스 국가들은 페르시아의 재침에 대비하여 델로스 동맹을 결성하고, 공동으로 군자금을 모았어요. 맹주는 아테네였지요. 이

제 아테네는 오만해졌어요. 지중해의 해상권을 장악함은 물론, 델로스 동맹을 통해 그리스 국가들로부터 계속 돈을 걷고 다른 국가들을 간섭하고 지배하려고까지 했어요. 아테네에 대한 다른 국가들의 불만은 높아만 갔지요.

아테네의 라이벌, 스파르타는 이미 기원전 6세기 중반, 펠로폰네소스 반도의 국가들과 동맹을 맺고 있었어요. 하지만 델로스 동맹이 결성되면서 그 위상은 크게 떨어졌어요. 스파르타는 아테네의 세력권 안에 있는 에게 해 쪽은 포기하고 이탈리아 반도, 시칠리아 쪽의 지중해로 세력을 뻗었어요. 하지만 이마저도 아테네의 방해를 받게 되었어요. 마침 아테네에 불만을 갖고 있던 도시들이 스파르타를 부추겼지요.

드디어 두 라이벌은 충돌했어요. 펠로폰네소스 전쟁이 시작된 것이지요. 아테네와 스파르타를 축으로 나누어진 그리스의 도시들은 30여 년 동안이나 서로 치열한 전쟁을 벌였어요. 아테네의 지도자 페리클레스는 최강의 스파르타 육군과의 정면 승부를 피하고 성을 굳게 지키는 한편, 아테네가 자랑하던 해군력을 이용하여 펠로폰네소스를 공격함으로써 스파르타에 타격을 주는 전술을 택했어요.

하지만 전쟁이 시작된 지 3년째 되던 해, 아테네에 전염병이 돌아 시민의 절반 이상이 죽고 지도자인 페리클레스마저 사망했어요. 정치적인 불안도 이어졌어요. 새로운 지도자 알키비아데스는 정적들과의 싸움에 휘말려서 스파르타로 도망치고 오히려 아테네에 큰 피해를 끼쳤어요.

이제 운명의 신은 스파르타의 편이었어요. 아테네의 막강한 해군마저 격파당하고 델로스 동맹의 도시들은 점차 아테네로부터 멀어졌어요. 오랫동안 포위되어 식량난에 시달리던 아테네는 기원전 404년 마침내 스파르타에게 항복하고, 펠로폰네소스 전쟁은 스파르타의 승리로 막을 내렸지요.

펠로폰네소스 지역

마케도니아
테살리
에피루스
에우보에아
에게 해
레우크트라
테베
아테네
엘리스
코린토스
피라쿠스
올림피아
아르고스
아에기나
이오니아 해
필루스
스파르타
지중해

02

헤로도토스 역사

권오경 글 | 진선규 그림

01 헤로도토스가 《역사》에서 주로 다룬 전쟁은 무엇일까요?

① 페르시아 전쟁 ② 이집트 전쟁 ③ 펠로폰네소스 전쟁
④ 포에니 전쟁 ⑤ 트로이 전쟁

02 고대 그리스는 제각기 독특한 개성과 다양한 제도를 가진 독자적인 수많은 도시 국가들로 구성되어 있었는데, 이 도시 국가를 무엇이라고 할까요?

① 델포이 ② 아고라 ③ 폴리스
④ 아크로폴리스 ⑤ 헬레네스

03 그리스 신화에서 파리스는 가장 아름다운 여신에게 바치기로 되어 있는 황금사과를 아프로디테에게 바칩니다. 그 대가로 아프로디테가 파리스에게 주기로 한 선물은 무엇일까요?

① 최고의 권력 ② 최고의 부
③ 전쟁에서의 승리 ④ 세상에서 가장 아름다운 아내
⑤ 상처받지 않는 신체

04 바다에서 훨씬 더 많은 수의 페르시아 함선과 맞붙어야 했던 그리스 해군은 좁은 해협으로 페르시아 함대를 끌어들여 전투를 벌입니다. 그리스 해군의 완벽한 승리로 끝난 페르시아 전쟁 최대의 해전이 벌어진 곳은 어디일까요?

① 테르모필라이 ② 아르테미시온 ③ 살라미스
④ 헬레스폰토스 ⑤ 사모스

05 마고스 형제를 죽이고 왕이 되어, 연이은 정복 전쟁에서 승리를 거두고, 행정·조세 구역의 정비를 통해 페르시아를 오리엔트 전역을 아우르는 대제국으로 성장시킨 페르시아의 왕은 누구일까요?

① 키루스 왕 ② 다리우스 왕 ③ 캄비세스 왕
④ 크세르크세스 왕 ⑤ 크로이소스 왕

06 1차 페르시아 전쟁에서 승리한 아테네의 전령 필리피데스는 40킬로미터가 넘는 거리를 달려서 아테네 시민들에게 승전을 알리고 숨을 거두었다고 합니다. 여기서 유래했으며 '올림픽의 꽃'이라 불리는 경기는 무엇일까요?

① 창던지기 ② 마라톤 ③ 전차 경기
④ 승마 ⑤ 철인 3종 경기

08 왕의 길 : 페르시아의 수도인 수사와 소아시아 리디아의 수도인 사르디스를 연결하는 도로망으로, 로마 제국의 도로망이 등장하기 전까지 세계 최고의 도로망이었습니다.

09 신탁 : 그리스인들은 신탁을 신의 뜻으로 믿었지만, 그 내용은 애매하고 두루뭉술하여 다양한 해석이 가능했다고 합니다.

10 《역사》는 신화가 아닌, 실제로 있었던 인간 사이의 일을 탐구하여 자신의 관점에 따라 해석하고 서술했기 때문입니다.

07 고대 그리스에는 정치적으로 제각각이던 도시 국가들의 단합을 위해, 4년마다 한 번씩 모여 제우스신에게 제사를 지내고 큰 대회를 열었습니다. 이 행사는 무엇일까요?

---

08 페르시아는 동으로 인더스 강, 서로는 마케도니아, 남으로 이집트, 북으로 소련의 경계선까지 넓은 영역을 차지하고 수도와 소아시아 지방을 연결하기 위해 무려 2,580여 킬로미터에 이르는 도로망을 건설했습니다. 이 길은 무엇일까요?

---

09 중요한 일이 있을 때마다 그리스인들은 신의 뜻을 물었습니다. 그리스인들은 인간이 신에게 그 뜻을 구하면 신은 신녀, 즉 무녀를 통해 대답한다고 믿었는데, 이것을 무엇이라고 할까요?

정답

01 ① / 02 ③ / 03 ④ / 04 ③

05 ② : 다리우스 대왕 때 페르시아는, 오리엔트는 물론 마케도니아에 이르는 지역을 차지했고, 정복한 지역을 20개의 행정구역으로 나누어 총독을 파견하고 이에 걸맞은 납세 제도를 마련해 부유하고 강력한 제국으로 성장했습니다.

06 ② / 07 올림피아 제전

10 헤로도토스는 '역사의 아버지'로 불립니다. 그 이유를 호메로스의 《일리아스》, 《오디세이아》 등과 헤로도토스의 《역사》가 다른 점을 중심으로 설명하세요.